MW00795224

Short stories

in

Greek

2nd edition

Written by Maria Karra

Published by FRESNEL PRESS
12781 Orange Grove Blvd
West Palm Beach, FL 33411

Table of Contents

About the book and the author

This book has been designed for low intermediate to advanced learners of modern Greek. It can be used for self-study or in a classroom. It is written in everyday language that is actually used in Greece, with realistic dialogs and situations.

The stories revolve around a typical Greek family. Each chapter consists of:

- a text, increasing in complexity as you progress in the book
- a vocabulary section with the words as they appear in the text and in their original form (e.g. *θα φύγουμε = we will leave* — verb *φεύγω = I leave/I am leaving*)
- reading-comprehension questions (True or False and multiple choice)
- grammar and vocabulary exercises to practice what you've learned in each text
- answers to the exercises.

The author, Maria Karra, is a former aerospace engineer and has over 25 years of experience as a technical translator and Greek-language instructor. She has a passion for the Greek language and culture and an even greater passion for teaching and sharing knowledge. Maria was born in Thessaloniki, Greece. She has lived in Brussels, Paris, Buenos Aires, Boston, and currently lives in West Palm Beach, Florida.

Εισαγωγή
Introduction

Ο Αλέξης και ο Κωστής είναι δίδυμα αδέλφια. Μένουν στη Θεσσαλονίκη με τη μαμά τους, τη Μαρία, και τον μπαμπά τους, τον Παναγιώτη. Πηγαίνουν στο δημοτικό. Σε κάθε κεφάλαιο αυτού του βιβλίου μαθαίνουμε κάτι για τη ζωή τους.

Alexis and Kostis are twin brothers. They live in Thessaloniki with their mom, Maria, and their dad, Panayotis. They are in elementary school. In each chapter of this book we learn something about their life.

Κεφάλαιο 1 – Chapter 1

Τι κάνουμε τις Κυριακές
What we do on Sundays

Η μαμά του Αλέξη και του Κωστή μάς λέει τι κάνουν τις Κυριακές.

Την **επόμενη** Κυριακή το απόγευμα, θα πάω τα **παιδιά** στην **παιδική χαρά**. Πηγαίνουμε σχεδόν κάθε **σαββατοκύριακο** γιατί τους αρέσει πάρα πολύ. Κάνουν **κούνια, τραμπάλα, τσουλήθρα** και τρέχουν **πέρα δώθε**. Κι εμένα μ' αρέσει πολύ να τους πηγαίνω στην παιδική χαρά. Κάθομαι στο παγκάκι με τον καφέ μου ή έναν χυμό στο χέρι και **ξεκουράζομαι** καθώς βλέπω τα παιδιά να παίζουν και να χαίρονται. **Πολλές φορές** συναντάμε εκεί μερικούς φίλους τους από το σχολείο, που μένουν εκεί κοντά. **Το δύσκολο είναι** όταν έρχεται η ώρα να γυρίσουμε στο σπίτι. Τα παιδιά δεν θέλουν **με τίποτα** να φύγουν! **Γκρινιάζουν** και κλαίνε για να μείνουμε λίγο ακόμα στην παιδική χαρά.

Το **καλοκαίρι**, **αντί να** πάμε στην παιδική χαρά, πηγαίνουμε στη θάλασσα. Κι εκεί τα παιδιά κάνουν **ακριβώς** το ίδιο, δηλαδή δε θέλουν με τίποτα να φύγουν. Παίζουν **με τις ώρες** στην άμμο, φτιάχνουν **κάστρα** και **λακκούβες**, **πλατσουρίζουν** στο νερό και μαζεύουν όμορφα **κοχύλια**. Εγώ τους κοιτάζω κάνοντας **ηλιοθεραπεία**. Όταν, όμως, θέλουν να μπουν στο νερό, μπαίνουμε όλοι μαζί. Τα παιδιά φοράνε **σωσίβιο**. Εγώ ξέρω πολύ καλό **κολύμπι** και **του χρόνου** θα μάθω και στα παιδιά. Και τα παιδιά κι εγώ την **απολαμβάνουμε** πολύ τη θάλασσα. Ευτυχώς εδώ στην **περιοχή** μας είναι πολύ καθαρή. Πάντα καθόμαστε **τουλάχιστον** δύο ώρες στην παραλία. Τα παιδιά, φυσικά, πάντα θέλουν να μείνουμε **περισσότερο. Δε χορταίνουν** τη θάλασσα και το παιχνίδι **στην άμμο**. Όταν *έρχεται η ώρα να* φύγουμε, **συνήθως κάνουμε μια στάση** στο **περίπτερο** του κυρ-Γιώργου **στον δρόμο** για το σπίτι και αγοράζουμε παγωτά. Στον Κωστή αρέσει η **φράουλα**, στον Αλέξη η **σοκολάτα** και σ' εμένα η **βανίλια**. Δεν υπάρχει τίποτα πιο **απολαυστικό** από ένα παγωτό μετά από δυο ώρες στον **καυτό** ήλιο.

ΛΕΞΙΛΟΓΙΟ – VOCABULARY

επόμενη = *(fem.)* next — επόμενος – επόμενη – επόμενο

τα παιδιά = children — *singular:* το παιδί

η παιδική χαρά = playground

το σαββατοκύριακο = weekend — *from* Σάββατο + Κυριακή

η κούνια = swing

η τραμπάλα = seesaw

η τσουλήθρα = slide

πέρα δώθε = back and forth

ξεκουράζομαι = to rest, to relax — *opposite of* κουράζομαι

πολλές φορές = many times, often

το δύσκολο είναι ... = the hard part is ...

με τίποτα = in no way

γκρινιάζουν = they gripe, they grumble — *verb:* γκρινιάζω

το καλοκαίρι = summer — *from* καλός (good) + καιρός (weather)

αντί να = instead of

ακριβώς = exactly

με τις ώρες = for hours on end

τα κάστρα = castles

οι λακκούβες = holes in the ground or in the sand — *singular:* η λακκούβα

πλατσουρίζουν = they paddle, slosh around — *verb:* πλατσουρίζω

τα κοχύλια = seashells — *singular:* το κοχύλι

η ηλιοθεραπεία = sunbathing

το σωσίβιο = lifesaver, lifejacket

το κολύμπι = swimming	ξέρω κολύμπι = I know how to swim
του χρόνου = next year	
απολαμβάνουμε = we enjoy	*verb:* απολαμβάνω
η περιοχή = area, region	
τουλάχιστον = at least	
περισσότερο = more	
δεν χορταίνουν = they can't get enough	*verb:* χορταίνω
στην άμμο = in/on the sand	η άμμος = sand
έρχεται η ώρα να … = the time comes to…, it is time to…	
συνήθως = usually	
κάνουμε μια στάση = we make a stop	κάνω στάση, κάνω μια στάση
το περίπτερο = kiosk	
στον δρόμο = on the way, on the street	ο δρόμος = road, street στον δρόμο για το σπίτι = on the way home
η φράουλα = strawberry	
η σοκολάτα = chocolate	
η βανίλια = vanilla	
απολαυστικό = enjoyable, delightful	απολαυστικός – απολαυστική – απολαυστικό
καυτό = hot, burning hot	καυτός – καυτή – καυτό

9

ΣΗΜΕΙΩΣΕΙΣ – NOTES

ΑΣΚΗΣΕΙΣ – EXERCISES

1. Σωστό ή λάθος; – True or false?

	Σωστό True	Λάθος False
a. Η μαμά πηγαίνει τα παιδιά στην παιδική χαρά σχεδόν κάθε μέρα.	☐	☐
b. Στην παιδική χαρά υπάρχει τραμπάλα και τσουλήθρα.	☐	☐
c. Τα παιδιά κάθονται στο παγκάκι και πίνουν χυμό.	☐	☐
d. Την άνοιξη, η μαμά πηγαίνει τα παιδιά στη θάλασσα.	☐	☐
e. Στη θάλασσα, τα παιδιά παίζουν στην άμμο.	☐	☐
f. Μέσα στη θάλασσα, τα παιδιά φοράνε σωσίβιο.	☐	☐
g. Η μαμά δεν ξέρει καλό κολύμπι.	☐	☐
h. Η θάλασσα στην περιοχή δεν είναι καθαρή.	☐	☐
i. Η μαμά και τα παιδιά κάθονται τουλάχιστον τρεις ώρες στην παραλία.	☐	☐
j. Στον Κωστή αρέσει το παγωτό με γεύση φράουλα.	☐	☐

2. Γράψε τις λέξεις στον πληθυντικό. – Write the words in the plural.

a. το σαββατοκύριακο   _____

b. η κούνια   _____

c. το παγκάκι   _____

d. ο καφές   _____

e. το σχολείο   _____

f. το καλοκαίρι   _____

g. η θάλασσα   _____

h. η ώρα   _____

i. η περιοχή   _____

j. ο δρόμος   _____

3. Γράψε τις λέξεις στον ενικό. – Write the words in the singular.

a. οι Κυριακές   _____

b. τα παιδιά   _____

c. οι φίλοι   _____

d. οι φορές   _____

e. οι ώρες   _____

f. τα κάστρα   _____

g. τα κοχύλια   _____

h. τα παγωτά   _____

4. Συμπλήρωσε τα κενά με το σωστό ρήμα – Fill in the blanks with the right verb.

αρέσει - παίζουν - αγοράζουμε - ξέρω - χορταίνουν - θέλουν - απολαμβάνουμε - πηγαίνουμε - είναι - κάθομαι

a. Τα παιδιά δε _____ με τίποτα να φύγουν από την παιδική χαρά.

b. Εγώ _____ στο παγκάκι με τον καφέ μου στο χέρι.

c. Το καλοκαίρι, αντί να πάμε στην παιδική χαρά, _____ στη θάλασσα.

d. Τα παιδιά _____ με τις ώρες στην άμμο.

e. Εγώ δεν φοράω σωσίβιο γιατί _____ πολύ καλό κολύμπι.

f. Στον δρόμο για το σπίτι, σταματάμε στο περίπτερο και _____ παγωτά.

g. Τα παιδιά δεν _____ το παιχνίδι στην άμμο.

h. Στον Αλέξη _____ η φράουλα και σ' εμένα η βανίλια.

i. Η θάλασσα στην περιοχή μας _____ πολύ καθαρή.

j. Τα παιδιά κι εγώ _____ πολύ τη θάλασσα.

5. Βάλε τις λέξεις στη σωστή σειρά για να φτιάξεις προτάσεις.
   – Put the words in the right order to make sentences.

a. | κάθε – στην – χαρά – σχεδόν – πηγαίνουμε – παιδική – Κυριακή

b. | θάλασσα – το – πηγαίνουμε – καλοκαίρι – στη

c. | των - πολλές - φίλους - συναντάμε - μερικούς - φορές - παιδιών

d. | νερό – άμμο – στο – ώρες – παιδιά – με – πλατσουρίζουν – τις – στην – παίζουν – τα – και

e. | ηλιοθεραπεία – παιδιά – τα – κάνοντας – κοιτάζω – εγώ

f. | κοχύλια – φτιάχνουν – τα – μαζεύουν – και – κάστρα – παιδιά

g. | στάση – αγοράζουμε – συνήθως – στο – παγωτά – και – περίπτερο – κάνουμε

h. | παγωτό - από - τίποτα - απολαυστικό - πιο - υπάρχει - ένα - δεν

ΛΥΣΕΙΣ ΤΩΝ ΑΣΚΗΣΕΩΝ – ANSWERS TO THE EXERCISES

1. a. Λάθος, b. Σωστό, c. Λάθος, d. Λάθος, e. Σωστό,
   f. Σωστό, g. Λάθος, h. Λάθος, i. Λάθος, j. Σωστό

2. a. τα σαββατοκύριακα, b. οι κούνιες, c. τα παγκάκια,
   d. οι καφέδες, e. τα σχολεία, f. τα καλοκαίρια,
   g. οι θάλασσες, h. οι ώρες, i. οι περιοχές, j. οι δρόμοι

3. a. η Κυριακή, b. το παιδί, c. ο φίλος, d. η φορά,
   e. η ώρα, f. το κάστρο, g. το κοχύλι, h. το παγωτό

4. a. θέλουν, b. κάθομαι, c. πηγαίνουμε, d. παίζουν,
   e. ξέρω, f. αγοράζουμε, g. χορταίνουν, h. αρέσει,
   i. είναι, j. απολαμβάνουμε

5. a. Σχεδόν κάθε Κυριακή πηγαίνουμε στην παιδική χαρά. /
      Πηγαίνουμε στην παιδική χαρά σχεδόν κάθε Κυριακή.
   b. Το καλοκαίρι πηγαίνουμε στη θάλασσα.
   c. Πολλές φορές συναντάμε μερικούς φίλους των παιδιών.
   d. Τα παιδιά παίζουν με τις ώρες στην άμμο και
      πλατσουρίζουν στο νερό. / Τα παιδιά πλατσουρίζουν στο
      νερό και παίζουν με τις ώρες στην άμμο.
   e. Εγώ κοιτάζω τα παιδιά κάνοντας ηλιοθεραπεία.
   f. Τα παιδιά φτιάχνουν κάστρα και μαζεύουν κοχύλια. /
      Τα παιδιά μαζεύουν κοχύλια και φτιάχνουν κάστρα.
   g. Συνήθως κάνουμε στάση στο περίπτερο και αγοράζουμε
      παγωτά.
   h. Δεν υπάρχει τίποτα πιο απολαυστικό από ένα παγωτό.

16

Τέλος 1ου κεφαλαίου.

Μπράβο σου!

Κεφάλαιο 2 – Chapter 2

Βρέχει
It's raining

Σήμερα βρέχει **όλη μέρα**. Από το πρωί δεν έχει σταματήσει **καθόλου**. Ο Αλέξης και ο Κωστής θέλουν να βγουν στην **αυλή** να παίξουν, αλλά η μαμά τους δεν τους **αφήνει**.

Αλέξης: Μαμά, άσε μας να βγούμε λίγο έξω.

Μαμά: **Αποκλείεται! Θα γίνετε παπάκια!** Δε βλέπετε ότι ρίχνει **δυνατή** βροχή; Τις **βροντές** δεν τις ακούτε;

Κι έτσι τα δύο αδελφάκια **έχουν κλειστεί στο σπίτι**. Είδαν λίγη τηλεόραση, **κινούμενα σχέδια**. **Λατρεύουν** τα **Στρουμφάκια!** Μετά έκαναν **παζλ**. Αλλά **βαρέθηκαν**. Άρχισαν να γκρινιάζουν.

Κωστής: Άντε, πότε **επιτέλους** θα σταματήσει η βροχή;

Μαμά: **Φοβάμαι ότι** θα βρέχει μέχρι το βράδυ. Αύριο, όμως, θα κάνει **λιακάδα**. Μπορούμε να πάμε στην παιδική χαρά.

Αλέξης: Ναι! **Τέλεια ιδέα**! Να πάρουμε και τα **ποδήλατά** μας!

Μαμά: **Γιατί όχι;**

Κωστής: Μπορούμε να πάμε στη **θάλασσα**;

Μαμά: **Δε νομίζω.**

Κωστής: Μα είπες ότι θα κάνει λιακάδα!

Μαμά: Αυτό δε **σημαίνει** ότι θα κάνει **ζέστη**. Άνοιξη είναι ακόμα. Δεν έχει μπει το καλοκαίρι. Αύριο θα έχει ήλιο αλλά «με **δόντια**».

Κωστής: **Δηλαδή** θα πάμε μόνο στην παιδική χαρά;

Μαμά: Ναι. Αλλά μπορούμε να κάτσουμε όσο θέλετε.

Αλέξης: Ωραία! Να πάρουμε και τη **μπάλα του μπάσκετ**.

Μαμά: Ποδήλατα, μπάλα του μπάσκετ και **μπουφάν**! Είπαμε, θα κάνει ψύχρα.

Κωστής: Καλά, καλά. Και μπουφάν. Αμάν βρε μαμά, **λες και** είναι **χειμώνας**!

Αλέξης: Ναι, μαμά, **υπερβάλλεις**.

Μαμά: **Προτιμώ να** υπερβάλλω παρά να σας έχω **συναχωμένους** μετά.

ΛΕΞΙΛΟΓΙΟ – VOCABULARY

όλη μέρα = all day long

καθόλου = at all, not at all

η αυλή = yard

αφήνει = lets, allows   *verb:* αφήνω

αποκλείεται = no way

θα γίνετε παπάκια = you'll get   γίνομαι παπί, γίνομαι παπάκι
soaking wet

δυνατή = (*fem.*) strong   δυνατός – δυνατή – δυνατό

η βροχή = rain

οι βροντές = thunders   *singular:* η βροντή

έχουν κλειστεί στο σπίτι = they are   κλείνομαι στο σπίτι = to be stuck at
stuck at home   home

τα κινούμενα σχέδια = cartoons

λατρεύουν = they adore   *verb:* λατρεύω

τα Στρουμφάκια = the Smurfs   *also:* τα Στρουμφ

το παζλ = jigsaw puzzle

βαρέθηκαν = they got bored   *verb:* βαριέμαι

επιτέλους = finally, at last

φοβάμαι ότι ... = I'm afraid that ...

η λιακάδα = sunshine

τέλεια = (*fem.*) perfect   τέλειος – τέλεια – τέλειο

η ιδέα = idea

τα ποδήλατα = bicycles   *singular:* το ποδήλατο

γιατί όχι; = why not?

η θάλασσα = sea   πάω/πηγαίνω στη θάλασσα = to go
to the beach

δε νομίζω = I don't think so

σημαίνει = it means

η ζέστη = heat, warmth | κάνει ζέστη = it's hot, it's warm

τα δόντια = teeth | ήλιος με δόντια = sunny but cold

δηλαδή = that means, namely

η μπάλα του μπάσκετ = basketball (the ball used in the game) | το μπάσκετ = basketball (the game)

το μπουφάν = jacket

λες και ... = as if...

ο χειμώνας = winter

υπερβάλλεις = you exaggerate | *verb:* υπερβάλλω

προτιμώ να ... = I prefer to...

συναχωμένους = having a runny nose | συναχωμένος – συναχωμένη – συναχωμένο

ΣΗΜΕΙΩΣΕΙΣ – NOTES

ΑΣΚΗΣΕΙΣ – EXERCISES

1. Σωστό ή λάθος; – True or false?

		Σωστό	Λάθος
a.	Σήμερα το βράδυ θα κάνει λιακάδα.	☐	☐
b.	Αύριο τα παιδιά θα πάνε στην παιδική χαρά.	☐	☐
c.	Τα παιδιά θα πάρουν τη μπάλα του ποδοσφαίρου στην παιδική χαρά.	☐	☐
d.	Τα παιδιά είδαν κινούμενα σχέδια στην τηλεόραση.	☐	☐
e.	Τα παιδιά γκρινιάζουν επειδή αύριο θα πάνε στο πάρκο.	☐	☐
f.	Σήμερα έχει ήλιο «με δόντια».	☐	☐
g.	Αύριο θα κάνει ψύχρα.	☐	☐
h.	Ακούγονται βροντές.	☐	☐
i.	Είναι ακόμα χειμώνας.	☐	☐
j.	Τα παιδιά είναι κλεισμένα στο σπίτι γιατί έξω έχει πολύ κρύο.	☐	☐

2. Βάλε τα ρήματα στο πρώτο πρόσωπο του ενικού, στον ενεστώτα. – Put the verbs in the 1st person singular, in the present tense.

a. έχει σταματήσει   σταματάω/σταματώ

b. θα γίνετε   _____

c. βλέπετε   _____

d. ακούτε   _____

e. έχουν κλειστεί   _____

f. λατρεύουν   _____

g. θα κάνει   _____

h. έχει μπει   _____

i. θα πάμε   _____

j. υπερβάλλεις   _____

3. Γράψε τις λέξεις στον πληθυντικό. – Write the words in the plural.

a. η μέρα   _ _ _ _ _ _ _ _ _ _ _ _ _ _ _

b. η αυλή   _ _ _ _ _ _ _ _ _ _ _ _ _ _ _

c. η μαμά   _ _ _ _ _ _ _ _ _ _ _ _ _ _ _

d. η τηλεόραση   _ _ _ _ _ _ _ _ _ _ _ _ _ _ _

e. το σπίτι   _ _ _ _ _ _ _ _ _ _ _ _ _ _ _

f. το βράδυ   _ _ _ _ _ _ _ _ _ _ _ _ _ _ _

g. η ζέστη   _ _ _ _ _ _ _ _ _ _ _ _ _ _ _

h. η μπάλα   _ _ _ _ _ _ _ _ _ _ _ _ _ _ _

i. το μπουφάν   _ _ _ _ _ _ _ _ _ _ _ _ _ _ _

j. ο χειμώνας   _ _ _ _ _ _ _ _ _ _ _ _ _ _ _

4. Γράψε τις λέξεις στον ενικό. – Write the words in the singular.

a. τα παπάκια   _____

b. οι βροντές   _____

c. τα αδελφάκια   _____

d. τα ποδήλατα   _____

e. τα δόντια   _____

5. Συμπλήρωσε τα κενά. – Fill in the blanks.

> κλειστεί - ρίχνει - μέχρι - κάνει - μπάλα - όλη - καλοκαίρι -
> έχει - βγουν - λιακάδα

a. Σήμερα βρέχει _____ μέρα.

b. Ο Κωστής και ο Αλέξης θέλουν να _____ στην αυλή.

c. Έξω _____ δυνατή βροχή.

d. Αύριο θα κάνει _____ και θα πάμε στην παιδική
χαρά.

e. Ακόμα είναι άνοιξη, δεν έχει μπει το _____.

f. Τα παιδιά έχουν _____ στο σπίτι επειδή βρέχει.

g. Από το πρωί δεν _____ σταματήσει να βρέχει.

h. Σήμερα θα βρέχει _____ το βράδυ.

i. Τα παιδιά θα πάρουν τα ποδήλατά τους και τη
_____ του μπάσκετ στην παιδική χαρά.

j. Αύριο τα παιδιά δε θα πάνε στη θάλασσα γιατί θα
_____ ψύχρα.

ΛΥΣΕΙΣ ΤΩΝ ΑΣΚΗΣΕΩΝ – ANSWERS TO THE EXERCISES

1. a. Λάθος, b. Σωστό, c. Λάθος, d. Σωστό, e. Λάθος,
    f. Λάθος, g. Σωστό, h. Σωστό, i. Λάθος, j. Λάθος

2. a. σταματάω / σταματώ, b. γίνομαι, c. βλέπω d. ακούω,
    e. κλείνομαι, f. λατρεύω, g. κάνω, h. μπαίνω,
    i. πηγαίνω/πάω, j. υπερβάλλω

3. a. οι μέρες, b. οι αυλές, c. οι μαμάδες, d. οι τηλεοράσεις,
    e. τα σπίτια, f. τα βράδια, g. οι ζέστες, h. οι μπάλες,
    i. τα μπουφάν, j. οι χειμώνες

4. a. το παπάκι, b. η βροντή, c. το αδελφάκι, d. το ποδήλατο,
    e. το δόντι

5. a. όλη, b. βγουν, c. ρίχνει, d. λιακάδα, e. καλοκαίρι,
    f. κλειστεί, g. έχει, h. μέχρι, i. μπάλα, j. κάνει

Τέλος 2^{ου} κεφαλαίου.

Συνέχισε έτσι!

Κεφάλαιο 3 – Chapter 3

Μετακομίζουμε!
We are moving!

Ο Κωστής και η **συμμαθήτριά** του η Ελένη μιλάνε στο τηλέφωνο.

Ελένη: Καλημέρα. Ο Κωστής είναι εκεί;

Κωστής: Εγώ είμαι! **Ποιος είναι;**

Ελένη: Η Ελένη. Παίρνω για **να σου θυμίσω** ότι το Σάββατο έχω **πάρτι γενεθλίων**. Θα έρθεις, **έτσι;**

Κωστής: Θέλω πολύ αλλά δεν νομίζω να μπορέσω. Αυτό το σαββατοκύριακο έχουμε **μετακόμιση**.

Ελένη: Μετακόμιση; Πού μετακομίζετε; Μακριά;

Κωστής: Όχι, εδώ κοντά. **Απλώς** πάμε σε ένα πιο μεγάλο σπίτι.

Ελένη: Πόσο μεγάλο;

Κωστής: **Τεράστιο!** Με **κήπο**, μεγάλο **σαλόνι**, τρία **μπάνια** και **σοφίτα**. Αλλά **το πιο σημαντικό** είναι ότι θα έχω επιτέλους **το δικό μου δωμάτιο!**

Ελένη: Τώρα δεν έχεις δικό σου δωμάτιο;

Κωστής: Όχι! Το **μοιράζομαι** με τον αδελφό μου.

Ελένη: Ωχ, κατάλαβα.

Κωστής: Άσε. **Δε χωράμε πια** σε ένα δωμάτιο **και οι δύο**.

Ελένη: Είναι πολύ **μικρό** το δωμάτιό σας;

Κωστής: Όχι, αλλά τα έχουμε όλα **διπλά**: δύο **κρεβάτια**, δύο **γραφεία**, δύο **καρέκλες**, δύο **ντουλάπες**, πώς να χωρέσουμε;

Ελένη: **Δίκο έχεις.**

Κωστής: Ε, ναι. Γι' αυτό **ανυπομονώ** να πάμε στο **καινούριο** σπίτι! Έχω **ήδη** βάλει όλα μου τα πράγματα σε **κούτες**.

Ελένη: Και θα τα **κουβαλήσεις** μόνος σου;

Κωστής: Όχι, ο μπαμπάς μου θα κουβαλήσει τα περισσότερα. Εγώ κι ο αδελφός μου **θα βοηθήσουμε όσο μπορούμε**, αλλά μόνο με τα μικρά και **ελαφριά** κουτιά. Τα μεγάλα και **βαριά** κουτιά δεν μπορούμε να τα **σηκώσουμε**.

Ελένη: **Χαίρομαι** που πάτε σε καινούριο σπίτι και που θα έχεις δικό σου δωμάτιο, αλλά **λυπάμαι** που δε θα έρθεις στο πάρτι μου.

Κωστής: Κι εγώ. Θα σου πάρω, όμως, ένα ωραίο **δωράκι**.

Ελένη: Α, ευχαριστώ!

Κωστής: Σου **εύχομαι χρόνια πολλά** από τώρα.

Ελένη: Ευχαριστώ πολύ! Καλή μετακόμιση!

Κωστής: Γεια.

Ελένη: Γεια!

ΛΕΞΙΛΟΓΙΟ – VOCABULARY

η συμμαθήτρια = (*fem.*) classmate	ο συμμαθητής = (*masc.*) classmate
ποιος είναι; = who is it?	
να σου θυμίσω = to remind you	*verb:* θυμίζω = to remind
το πάρτι γενεθλίων = birthday party	τα γενέθλια = birthday
έτσι; = right?	
η μετακόμιση = (*noun*) move	*verb:* μετακομίζω
απλώς = simply	
τεράστιο = huge	τεράστιος – τεράστια – τεράστιο
ο κήπος = garden	
το σαλόνι = living room	
τα μπάνια = bathrooms	*singular:* το μπάνιο = bathroom, bath κάνω μπανιο = to take a bath
η σοφίτα = attic	
το πιο σημαντικό = the most important	
το δικό μου = (*neut.*) my own	ο δικός μου - η δική μου - το δικό μου
το δωμάτιο = room	
μοιράζομαι = to share	
δε χωράμε = we don't fit	*verb:* χωράω = to fit
πια = anymore	
και οι δύο = both	
μικρό = small	μικρός – μικρή – μικρό
διπλά = (*neut., plural*) double	διπλός – διπλή – διπλό
τα κρεβάτια = beds	*singular:* το κρεβάτι
τα γραφεία = desks	το γραφείο = desk (*also:* office)

οι καρέκλες = chairs	*singular:* η καρέκλα
οι ντουλάπες = closets	*singular:* η ντουλάπα
δίκιο έχεις = you are right	*also:* έχεις δίκιο
ανυπομονώ = I can't wait	
καινούριο = new	καινούριος – καινούρια – καινούριο
ήδη = already	
οι κούτες = big boxes	*singular:* η κούτα
θα κουβαλήσεις = you will carry	*verb:* κουβαλάω/κουβαλώ
θα βοηθήσουμε = we will help	*verb:* βοηθάω/βοηθώ
όσο μπορούμε = as much as we can	
ελαφριά = (*neut., plural*) light	ελαφρύς – ελαφριά – ελαφρύ
βαριά = (*neut., plural*) heavy	βαρύς – βαριά – βαρύ
τα κουτιά = boxes	*singular:* το κουτί
να σηκώσουμε = to lift, pick up	*verb:* σηκώνω
χαίρομαι = I am glad	
λυπάμαι = I am sorry	
το δωράκι = little present	το δώρο = present, gift
εύχομαι = I wish	
χρόνια πολλά = happy birthday	*general wish, can also be used to wish Merry Christmas, happy anniversary, happy Independence Day, etc.*

34

ΣΗΜΕΙΩΣΕΙΣ – NOTES

ΑΣΚΗΣΕΙΣ – EXERCISES

1. Σωστό ή λάθος; – True or false?

		Σωστό	Λάθος
a.	Ο Κωστής μετακομίζει σ' ένα πιο μικρό σπίτι.	☐	☐
b.	Ο Κωστής και ο Αλέξης θα έχουν διαφορετικά δωμάτια στο καινούριο σπίτι.	☐	☐
c.	Η Ελένη κι ο Κωστής μιλάνε στην αυλή του σχολείου.	☐	☐
d.	Ο Κωστής είναι συμμαθητής της Ελένης.	☐	☐
e.	Το καινούριο σπίτι του Κωστή έχει τέσσερα μπάνια και σοφίτα.	☐	☐
f.	Την Κυριακή, η Ελένη έχει πάρτι γενεθλίων.	☐	☐
g.	Ο Κωστής δε θα πάει στο πάρτι της Ελένης.	☐	☐
h.	Ο Κωστής δε θα πάρει δώρο στην Ελένη επειδή δεν θα πάει στο πάρτι της.	☐	☐
i.	Ο μπαμπάς του Κωστή θα κουβαλήσει όλες τις κούτες.	☐	☐
j.	Ο Κωστής ανυπομονεί να πάει στο καινούριο του σπίτι.	☐	☐

2. Συμπλήρωσε τα κενά. – Fill in the blanks.

λυπάται - ελαφριά - γενεθλίων - πάει - καινούριο - δωράκι - συμμαθήτρια - πράγματα - δωμάτιο - μετακομίζει

a. Το _____ σπίτι του Κωστή έχει κήπο και σοφίτα.

b. Η Ελένη έχει πάρτι _____ το Σάββατο.

c. Ο Κωστής έχει βάλει όλα του τα _____ σε κούτες.

d. Η Ελένη είναι _____ του Κωστή.

e. Ο Κωστής και ο Αλέξης θα κουβαλήσουν τα μικρά και _____ κουτιά.

f. Ο Κωστής δε θα _____ στο πάρτι της Ελένης.

g. Τώρα ο Κωστής δεν έχει δικό του _____.

h. Ο Κωστής _____ το σαββατοκύριακο.

i. Η Ελένη _____ που ο Κωστής δε θα πάει στο πάρτι της.

j. Ο Κωστής θα πάρει ένα _____ στην Ελένη για τα γενέθλιά της.

3. Ταίριαξε τις λέξεις στα αριστερά με τα αντίθετά τους στα δεξιά. – Match the words on the left with their opposites on the right.

a.	μικρό	λυπάμαι
b.	περισσότερα	φεύγω
c.	ελαφρύς	μακριά
d.	καλή	μεγάλο
e.	έρχομαι	ασήμαντο
f.	χαίρομαι	λιγότερα
g.	σημαντικό	κακή
h.	πολύ	λίγο
i.	κοντά	βαρύς

4. Διάλεξε τη σωστή απάντηση. – Choose the right answer.

a. Ο Κωστής μετακομίζει:

   i. σε μεγαλύτερο σπίτι
   ii. σε μικρότερο σπίτι
   iii. μακριά από το τωρινό του σπίτι
   iv. σε σπίτι χωρίς κήπο

b. Το καινούριο σπίτι του Κωστή:

    i. έχει μικρό σαλόνι
    ii. έχει τρία μπάνια
    iii. δεν έχει κήπο
    iv. δεν έχει σοφίτα

c. Στο δωμάτιο του Κωστή υπάρχουν:

    i. δύο κρεβάτια
    ii. τρία γραφεία
    iii. τέσσερις καρέκλες
    iv. τρεις ντουλάπες

d. Η Ελένη:

    i. έχει πάρτι την Κυριακή
    ii. μετακομίζει το σαββατοκύριακο
    iii. θα βοηθήσει τον Κωστή στη μετακόμιση
    iv. λυπάται που ο Κωστής δε θα πάει στο πάρτι της

e. Ο Κωστής και ο αδελφός του:

    i. μοιράζονται την ίδια ντουλάπα
    ii. μοιράζονται το ίδιο δωμάτιο
    iii. θα κουβαλήσουν όλα τα βαριά κουτιά
    iv. δε θα βοηθήσουν στη μετακόμιση

ΛΥΣΕΙΣ ΤΩΝ ΑΣΚΗΣΕΩΝ – ANSWERS TO THE EXERCISES

1. a. Λάθος, b. Σωστό, c. Λάθος, d. Σωστό, e. Λάθος,
   f. Λάθος, g. Σωστό, h. Λάθος, i. Λάθος, j. Σωστό

2. a. καινούριο, b. γενεθλίων, c. πράγματα,
   d. συμμαθήτρια, e. ελαφριά, f. πάει, g. δωμάτιο,
   h. μετακομίζει, i. λυπάται, j. δωράκι

3. a. μικρό – μεγάλο, b. περισσότερα – λιγότερα,
   c. ελαφρύς – βαρύς, d. καλή – κακή,
   e. έρχομαι – φεύγω, f. χαίρομαι – λυπάμαι,
   g. σημαντικό – ασήμαντο, h. πολύ – λίγο,
   i. κοντά – μακριά

4. a. i. σε μεγαλύτερο σπίτι
   b. ii. έχει τρία μπάνια
   c. i. δύο κρεβάτια
   d. iv. λυπάται που ο Κωστής δε θα πάει στο πάρτι της
   e. ii. μοιράζονται το ίδιο δωμάτιο

Τέλος 3ου κεφαλαίου.

Τέλεια!

Κεφάλαιο 4 – Chapter 4

Τα χόμπι
Hobbies

Ο Αλέξης μιλάει με τον φίλο του τον Χρήστο για τα χόμπι τους.

Αλέξης: Χρήστο, τι χόμπι έχεις;

Χρήστος: **Πολλά και διάφορα. Κολύμβηση, καράτε, κιθάρα,** ... Γιατί ρωτάς;

Αλέξης: Έτσι, **για να πάρω ιδέες.**

Χρήστος: **Τι εννοείς;** Εσύ δεν έχεις χόμπι;

Αλέξης: Έχω. **Ή μάλλον,** είχα. Στο παλιό μας το σπίτι είχαμε **πισίνα.** Κολυμπούσα **σχεδόν κάθε μέρα.**

Χρήστος: Και τώρα; Δεν κολυμπάς πια;

Αλέξης: Όχι, στο καινούριο σπίτι δεν έχουμε πισίνα. Εσείς έχετε;

Χρήστος: Όχι.

Αλέξης: Και πού κολυμπάς;

Χρήστος: Στο **κολυμβητήριο!** Έχει ένα πολύ μεγάλο στη **γειτονιά** μου. Και, **φυσικά**, το καλοκαίρι κολυμπάω στη θάλασσα.

Αλέξης: Καλή ιδέα! Θα πω στη μαμά μου **να με γράψει** στο
            κολυμβητήριο! Και κιθάρα πού μαθαίνεις; Πας σε
            ωδείο;

Χρήστος: Όχι, έρχεται **δάσκαλος** στο σπίτι. Ο αδελφός μου
            πάει στο ωδείο. Εκείνος μαθαίνει **πιάνο**.

Αλέξης: Η μαμά μου θέλει να μάθω πιάνο αλλά εμένα δε μου
            αρέσει καθόλου. Προτιμώ το **μπουζούκι** και την
            κιθάρα. Γενικά μου αρέσουν τα **έγχορδα**.

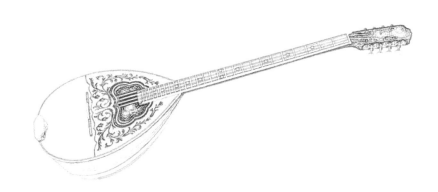

Χρήστος: Αλήθεια; Σ' αρέσει το μπουζούκι;

Αλέξης: Πάρα πολύ! Ο μπαμπάς μου ξέρει να παίζει πολύ
            καλά.

Χρήστος: Και γιατί δε **σου μαθαίνει**;

Αλέξης: Λέει ότι είμαι μικρός **ακόμα**. Θα μου μάθει **όταν
            μεγαλώσω** λίγο. Λέει ότι θα μου μάθει και **τένις**.

Χρήστος: Κολύμβηση, μπουζούκι, τένις... Πότε θα **προλαβαίνεις** να διαβάζεις για το σχολείο;

Αλέξης: Θα προλαβαίνω. Εσύ πώς προλαβαίνεις την κολύμβηση, το καράτε και την κιθάρα;

Χρήστος: Σωστά. **Όποιος θέλει, μπορεί!**

Αλέξης: Ακριβώς!

ΛΕΞΙΛΟΓΙΟ – VOCABULARY

πολλά και διάφορα = *(expression)*
  many different ones, various

η κολύμβηση = swimming   *also:* το κολύμπι *(less formal)*

το καράτε = karate

η κιθάρα = guitar

για να πάρω ιδέες = to get ideas

τι εννοείς; = what do you mean?   *verb:* εννοώ

ή μάλλον = or rather

η πισίνα = pool

κολυμπούσα = I used to swim   *verb:* κολυμπάω

σχεδόν = almost

κάθε μέρα = every day   *also:* καθημερινά

το κολυμβητήριο = swim school,
  public pool

η γειτονιά = neighborhood

φυσικά = of course, naturally

να με γράψει = to register me   *verb:* γράφομαι = to register, to
  sign up

το ωδείο = music school

ο δάσκαλος = teacher, instructor

το πιάνο = piano

το μπουζούκι = bouzouki

τα έγχορδα = string instruments   *singular:* το έγχορδο
  also as an adjective: το έγχορδο
  όργανο = stringed instrument

σου μαθαίνει = teaches you   μαθαίνω κάτι σε κάποιον = to
  teach something to somebody
  synonym: διδάσκω = to teach
  also: μαθαίνω = to learn

	e.g. μαθαίνω ελληνικά = I learn/I'm learning Greek μαθαίνω ελληνικά στη Μαρία = διδάσκω ελληνικά στη Μαρία = I teach Maria Greek
ακόμα = still	είμαι μικρός ακόμα = I'm still little/young
όταν μεγαλώσω = when I grow up	*verb:* μεγαλώνω
το τένις = tennis	
προλαβαίνεις = you have time to/for	*verb:* προλαβαίνω
όποιος θέλει, μπορεί = *(expression)* where there's a will there's a way	

46

ΣΗΜΕΙΩΣΕΙΣ – NOTES

ΑΣΚΗΣΕΙΣ – EXERCISES

1. Σωστό ή λάθος; – True or false?

		Σωστό	Λάθος
a.	Ο Αλέξης έχει πολλά χόμπι.	☐	☐
b.	Ο Χρήστος ξέρει να παίζει κιθάρα.	☐	☐
c.	Ο Αλέξης κολυμπάει σχεδόν κάθε μέρα.	☐	☐
d.	Το καινούριο σπίτι του Αλέξη έχει πισίνα.	☐	☐
e.	Το καλοκαίρι, ο Χρήστος κολυμπάει στη θάλασσα.	☐	☐
f.	Ο Αλέξης θέλει να γραφτεί στο κολυμβητήριο.	☐	☐
g.	Ο αδελφός του Αλέξη μαθαίνει πιάνο.	☐	☐
h.	Στον Αλέξη αρέσουν τα έγχορδα, όπως το μπουζούκι.	☐	☐
i.	Ο μπαμπάς του Αλέξη ξέρει καλό μπουζούκι.	☐	☐
j.	Ο Αλέξης μαθαίνει τένις.	☐	☐
k.	Όποιος θέλει, μπορεί!	☐	☐

2. Βάλε τις λέξεις στη σωστή σειρά για να φτιάξεις προτάσεις.
– Put the words in the right order to make sentences.

a. | έχουμε – στο – πισίνα – δεν – σπίτι – καινούριο

b. | γειτονιά – κολυμβητήριο – μεγάλο – έχει – μου – ένα – στη

c. | μας – κάθε – σχεδόν – παλιό – μέρα – στο – κολυμπούσα – σπίτι

d. | κολυμβητήριο – στο – κολύμπι – μαθαίνω

e. | θάλασσα – το – κολυμπάω – καλοκαίρι – στη

f. | ωδείο – κιθάρα – στο – όργανα – άλλα – και – μαθαίνουμε

g. | μάθω – να – μαμά – θέλει – η – πιάνο – μου

h. | μάθω – όταν – θα – τένις – μεγαλώσω

3. Γράψε τις λέξεις στον πληθυντικό. – Write the words in the plural.

a. η κιθάρα _____

b. η πισίνα _____

c. το κολυμβητήριο _____

d. η γειτονιά _____

e. το καλοκαίρι _____

f. το ωδείο _____

g. ο δάσκαλος _____

h. το πιάνο _____

i. το μπουζούκι _____

j. ο μπαμπάς _____

4. Βάλε τα ρήματα στο πρώτο πρόσωπο του ενικού, στον ενεστώτα. – Put the verbs in the 1st person singular, in the present tense.

a. μιλάει   _____

b. ρωτάς   _____

c. εννοείς   _____

d. κολυμπούσα   _____

e. μαθαίνεις   _____

f. έρχεται   _____

g. θέλει   _____

h. ξέρει   _____

i. προλαβαίνεις   _____

j. διαβάζεις   _____

5. Διάλεξε τη σωστή απάντηση. – Choose the right answer.

a. Ο Χρήστος μαθαίνει:

    i. πιάνο
    ii. καράτε
    iii. τένις
    iv. μπουζούκι

b. Ο Αλέξης:

    i. έχει πολλά και διάφορα χόμπι
    ii. κολυμπάει σχεδόν κάθε μέρα
    iii. θέλει να μάθει πιάνο
    iv. θέλει να μάθει μπουζούκι

c. Ο Αλέξης:

    i. πηγαίνει στο ωδείο
    ii. πηγαίνει στο κολυμβητήριο
    iii. δεν κολυμπάει πια
    iv. δεν ξέρει κολύμπι

d. Ο μπαμπάς του Αλέξη ξέρει:

    i. μπουζούκι και τένις
    ii. πιάνο και κιθάρα
    iii. κολύμπι και καράτε
    iv. κολύμπι και μπουζούκι

ΛΥΣΕΙΣ ΤΩΝ ΑΣΚΗΣΕΩΝ – ANSWERS TO THE EXERCISES

1. a. Λάθος, b. Σωστό, c. Λάθος, d. Λάθος, e. Σωστό,
   f. Σωστό, g. Λάθος, h. Σωστό, i. Σωστό, j. Λάθος,
   k. Σωστό

2. a. Στο καινούριο σπίτι δεν έχουμε πισίνα. /
      Δεν έχουμε πισίνα στο καινούριο σπίτι.
   b. Έχει ένα μεγάλο κολυμβητήριο στη γειτονιά μου. /
      Στη γειτονιά μου έχει ένα μεγάλο κολυμβητήριο.
   c. Στο παλιό μας σπίτι κολυμπούσα σχεδόν κάθε μέρα.
   d. Μαθαίνω κολύμπι στο κολυμβητήριο.
   e. Το καλοκαίρι κολυμπάω στη θάλασσα.
   f. Στο ωδείο μαθαίνουμε κιθάρα και άλλα όργανα.
   g. Η μαμά μου θέλει να μάθω πιάνο.
   h. Όταν μεγαλώσω θα μάθω τένις. / Θα μάθω τένις όταν
      μεγαλώσω.

3. a. οι κιθάρες, b. οι πισίνες, c. τα κολυμβητήρια,
   d. οι γειτονιές, e. τα καλοκαίρια, f. τα ωδεία,
   g. οι δάσκαλοι, h. τα πιάνα, i. τα μπουζούκια,
   j. οι μπαμπάδες

4. a. μιλάω / μιλώ, b. ρωτάω / ρωτώ, c. εννοώ,
   d. κολυμπάω / κολυμπώ, e. μαθαίνω, f. έρχομαι,
   g. θέλω, h. ξέρω, i. προλαβαίνω, j. διαβάζω

5. a. ii. καράτε,
   b. iv. θέλει να μάθει μπουζούκι
   c. iii. δεν κολυμπάει πια
   d. i. μπουζούκι και τένις

Τέλος 4ου κεφαλαίου.

Μπράβο!

Κεφάλαιο 5 – Chapter 5

Ο κήπος μας
Our yard

Ο κήπος μας είναι **αρκετά** μεγάλος. Δεν είναι και ο μεγαλύτερος που έχω δει, φυσικά, αλλά εμάς **μας φτάνει και μας περισσεύει**. Έχουμε **μπόλικο γρασίδι**, το οποίο ο μπαμπάς **κουρεύει** κάθε τρεις-τέσσερις εβδομάδες. Λέει ότι ανυπομονεί να μεγαλώσουμε εγώ κι ο Κωστής για να το κουρεύουμε εμείς.

Η μία **γωνία** του κήπου είναι **αποκλειστικά** της μαμάς. Εκεί **έχει φυτέψει** κάτι **υπέροχα λουλούδια: τριαντάφυλλα, γαρύφαλλα, γαρδένιες** και **ντάλιες**. Νομίζω πως εκείνη η γωνία είναι **το πιο όμορφο σημείο** του κήπου.

Λίγο πιο πέρα, ο μπαμπάς έχει φυτέψει **ντομάτες** και **μαρούλια**. **Σκοπεύει να** φυτέψει και **αγγούρια** και **κολοκυθάκια**. «Γιατί να **αγοράζουμε** όλα τα **λαχανικά** από το **σούπερ μάρκετ** ή τον **μανάβη**», λέει, «όταν έχουμε τόσο μεγάλο κήπο;» **Το κακό είναι** ότι ο ίδιος δεν έχει ποτέ χρόνο να τα **ποτίσει** και πάντα **στέλνει** εμένα και τον Κωστή! Ευτυχώς η μαμά **φροντίζει** η ίδια το **παρτέρι** της.

Στον κήπο, επίσης, είναι και η **μπασκέτα** μας. Με τον Κωστή παίζουμε πολύ **συχνά** μπάσκετ. Πολλές φορές **καλούμε** και φίλους μας. Είναι πιο **διασκεδαστικό** όταν παίζουμε περισσότερα άτομα. Αλλά πάντα **πρέπει να προσέχουμε** πολύ γιατί αν η μπάλα πέσει **καταλάθος** στα λουλούδια της μαμάς, θα φάμε **κατσάδα**! **Δε θέλω ούτε να το σκέφτομαι!**

ΛΕΞΙΛΟΓΙΟ – VOCABULARY

αρκετά = quite

μας φτάνει και μας περισσεύει = *(expression)* it's more than enough for us

μπόλικο = plenty | μπόλικος – μπόλικη – μπόλικο

το γρασίδι = grass | *also:* το χορτάρι, το γκαζόν

κουρεύει = he cuts/mows | *verb:* κουρεύω = to cut (hair or grass)

η γωνία = corner

αποκλειστικά = exclusively

έχει φυτέψει = has planted | *verb:* φυτεύω = to plant

υπέροχα = wonderful | υπέροχος – υπέροχη – υπέροχο

τα λουλούδια = flowers | *singular:* το λουλούδι

τα τριαντάφυλλα = roses | *singular:* το τριαντάφυλλο

τα γαρύφαλλα = carnations | *singular:* το γαρύφαλλο

οι γαρδένιες = gardenias | *singular:* η γαρδένια

οι ντάλιες = dahlias | *singular:* η ντάλια

το πιο όμορφο = the most beautiful | όμορφος – όμορφη – όμορφο

το σημείο = spot

οι ντομάτες = tomatoes | *singular:* η ντομάτα

τα μαρούλια = lettuces | *singular:* το μαρούλι

σκοπεύει να ... = he plans to... | *verb:* σκοπεύω

τα αγγούρια = cucumbers | *singular:* το αγγούρι

τα κολοκυθάκια = zucchinis | *singular:* το κολοκυθάκι

αγοράζουμε = we buy | *verb:* αγοράζω

τα λαχανικά = vegetables | *singular:* το λαχανικό

το σούπερ μάρκετ = supermarket

ο μανάβης = greengrocer   το μανάβικο = greengrocer's, grocery store

το κακό είναι ότι ... = the bad thing is that...

να ποτίσει = to water   *verb:* ποτίζω

στέλνει = sends   *verb:* στέλνω

φροντίζει = takes care of   *verb:* φροντίζω

το παρτέρι = flowerbed

η μπασκέτα = basketball hoop

συχνά = often

καλούμε = we invite   *verb:* καλώ

διασκεδαστικό = fun, enjoyable

πρέπει να προσέχουμε = we must be careful/cautious   *verb:* προσέχω

καταλάθος = by mistake, by accident   *also spelled:* κατά λάθος

αν πέσει = if it falls   *verb:* πέφτω

η κατσάδα = scolding   *expression:* τρώω κατσάδα = to be scolded

δε θέλω ούτε να το σκέφτομαι = I don't even want to think about it   Ούτε να το σκέφτεσαι! = Don't even think about it!

ΣΗΜΕΙΩΣΕΙΣ – NOTES

ΑΣΚΗΣΕΙΣ – EXERCISES

1. Σωστό ή λάθος; – True or false?

		Σωστό	Λάθος
a.	Ο κήπος του Αλέξη και του Κωστή είναι αρκετά μικρός.	☐	☐
b.	Ο μπαμπάς κουρεύει το γρασίδι κάθε εβδομάδα.	☐	☐
c.	Η μαμά έχει φυτέψει ντομάτες και μαρούλια στον κήπο.	☐	☐
d.	Το παρτέρι της μαμάς είναι στη γωνία του κήπου.	☐	☐
e.	Ο Κωστής και ο Αλέξης παίζουν συχνά τένις στον κήπο.	☐	☐
f.	Ο μπαμπάς θέλει να φυτέψει κολοκυθάκια.	☐	☐
g.	Ο μπαμπάς δε θέλει να αγοράζει λαχανικά από το σούπερ μάρκετ.	☐	☐
h.	Αγοράζουμε λαχανικά από το σούπερ μάρκετ ή από το μανάβικο.	☐	☐
i.	Το μπάσκετ είναι πιο διασκεδαστικό όταν παίζουν λίγα άτομα.	☐	☐
j.	Η μαμά έχει φυτέψει τριαντάφυλλα, τουλίπες και γαρύφαλλα στο παρτέρι της.	☐	☐

2. Συμπλήρωσε τα κενά. – Fill in the blanks.

φροντίζει - χρόνο - όμορφο - λουλούδια - σκοπεύει - παίζουν - μπάλα - αποκλειστικά

---

a. Η μαμά έχει φυτέψει υπέροχα _____ στον κήπο.

b. Ο μπαμπάς δεν έχει _____ να ποτίσει τα λαχανικά του.

c. Η μαμά _____ η ίδια το παρτέρι της.

d. Ο Κωστής και ο Αλέξης _____ συχνά μπάσκετ.

e. Όταν η _____ πέφτει στα λουλούδια της μαμάς, η μαμά φωνάζει.

f. Το παρτέρι της μαμάς είναι το πιο _____ μέρος του κήπου.

g. Ο μπαμπάς _____ να φυτέψει κολοκυθάκια και αγγούρια.

h. Η μία γωνία του κήπου είναι _____ της μαμάς.

3. Ταίριαξε τις λέξεις στα αριστερά με το αντίθετό τους στα δεξιά. – Match the words on the left with their opposite on the right.

a.	μεγαλύτερος	δυστυχώς
b.	όμορφο	ποτέ
c.	κακό	λιγότερα
d.	ευτυχώς	λίγο
e.	πάντα	σπάνια
f.	συχνά	μικρότερος
g.	περισσότερα	καλό
h.	πολύ	άσχημο

4. Γράψε τις λέξεις στον ενικό. – Write the words in the singular.

a. εμάς   _____

b. οι εβδομάδες   _____

c. εμείς   _____

d. τα λουλούδια   _____

e. τα τριαντάφυλλα   _____

f. οι γαρδένιες   _____

g. οι ντομάτες   _____

h. τα μαρούλια   _____

i. τα κολοκυθάκια   _____

j. οι φίλοι   _____

5. Διάλεξε τη σωστή απάντηση. – Choose the right answer.

a. Ο κήπος του Κωστή και του Αλέξη:

    i.   έχει πάρα πολλά λαχανικά
    ii.   έχει πολλά αγγούρια και κολοκυθάκια
    iii. έχει λουλούδια παντού
    iv. έχει πολύ γρασίδι

b. Ο μπαμπάς κουρεύει το γρασίδι:

    i.   κάθε τρεις εβδομάδες
    ii.   κάθε τέσσερις εβδομάδες
    iii. κάθε τρεις ή τέσσερις μέρες
    iv. κάθε τρεις ή τέσσερις εβδομάδες

c. Το παρτέρι της μαμάς:

    i.   είναι το ψηλότερο σημείο του κήπου
    ii.   είναι το μεγαλύτερο σημείο του κήπου
    iii. είναι το πιο πράσινο σημείο του κήπου
    iv. είναι το πιο όμορφο σημείο του κήπου

d. Ο Κωστής και ο Αλέξης:

    i.   καλούν συχνά τους συμμαθητές τους για μπάσκετ
    ii.   παίζουν συχνά μπάσκετ με τον μπαμπά τους
    iii. καλούν τους φίλους τους για μπάσκετ
    iv. προσέχουν να μην πέσει η μπάλα τους επάνω στα λαχανικά

ΛΥΣΕΙΣ ΤΩΝ ΑΣΚΗΣΕΩΝ – ANSWERS TO THE EXERCISES

1. a. Λάθος, b. Λάθος, c. Λάθος, d. Σωστό, e. Λάθος,
   f. Σωστό, g. Σωστό, h. Σωστό, i. Λάθος, j. Λάθος

2. a. λουλούδια, b. χρόνο, c. φροντίζει, d. παίζουν,
   e. μπάλα, f. όμορφο, g. σκοπεύει, h. αποκλειστικά

3. a. μεγαλύτερος – μικρότερος, b. όμορφο – άσχημο,
   c. κακό – καλό, d. ευτυχώς – δυστυχώς,
   e. πάντα – ποτέ, f. συχνά – σπάνια,
   g. περισσότερα – λιγότερα, h. πολύ – λίγο

4. a. εμένα, b. η εβδομάδα, c. εγώ, d. το λουλούδι,
   e. το τριαντάφυλλο, f. η γαρδένια, g. η ντομάτα,
   h. το μαρούλι, i. το κολοκυθάκι, j. ο φίλος

5. a. iv. έχει πολύ γρασίδι
   b. iv. κάθε τρεις ή τέσσερις εβδομάδες
   c. iv. είναι το πιο όμορφο σημείο του κήπου
   d. iii. καλούν τους φίλους τους για μπάσκετ

Τέλος 5ου κεφαλαίου.

Εύγε!

Κεφάλαιο 6 – Chapter 6

Πού δουλεύεις;
Where do you work?

Η Μαρία **συναντιέται τυχαία** με μια φίλη της στο δρόμο.

Μαρία: Κατερίνα! Γεια σου!

Κατερίνα: Για σου, Μαρία μου!

Μαρία: Πώς είσαι; Έχω **πολύ καιρό** να σε δω.

Κατερίνα: Μια χαρά. Εσύ; **Ο άντρας σου**; Τα παιδιά;

Μαρία: Όλοι καλά είμαστε. Τα παιδιά μεγάλωσαν, πηγαίνουν σχολείο. Τους αρέσει πολύ!

Κατερίνα: Τι ωραία! Χαίρομαι. Δουλεύεις ακόμα στην **εφημερίδα**;

Μαρία: Όχι πια. Βρήκα άλλη **δουλειά**.

Κατερίνα: Αλήθεια; Πού δουλεύεις τώρα;

Μαρία: Στο **περιοδικό** «Νέος **ρυθμός**».

Κατερίνα: Αυτό είναι περιοδικό **μουσικής**, **έτσι δεν είναι**;

Μαρία: Ναι, ακριβώς. **Κουράστηκα** τόσα χρόνια να γράφω για **πολιτικά θέματα** στην εφημερίδα. **Προτιμώ** τη μουσική.

Κατερίνα: Και τι γράφεις, δηλαδή;

Μαρία:	Πολλά και διάφορα. Γράφω για **συνθέτες κλασικής μουσικής**, για **σύγχρονους** συνθέτες, **στιχουργούς, τραγουδιστές**, για διάφορα **είδη** μουσικής και πολλά άλλα θέματα.

Κατερίνα:	**Ακούγεται** πολύ **ενδιαφέρον!**
Μαρία:	Είναι. Εσύ πού **εργάζεσαι;**
Κατερίνα:	Εγώ, **δυστυχώς**, είμαι **άνεργη εδώ και τρεις μήνες.**
Μαρία:	Λυπάμαι που τ' ακούω.
Κατερίνα:	Άσε, είναι πολύ **δύσκολα** τα πράγματα. **Ψάχνω** να βρω δουλειά.
Μαρία:	Τι δουλειά ψάχνεις;
Κατερίνα:	**Γραμματέας.** Όπου να 'ναι.

Μαρία:	**Θα το έχω υπόψη μου.** Στην **εταιρεία** του άντρα μου νομίζω πως **προσλαμβάνουν** αυτόν τον καιρό. Θα τον **ρωτήσω** και θα σου πω.
Κατερίνα:	Σ' ευχαριστώ!
Μαρία:	Τίποτα. Άντε, σε χαιρετώ γιατί με **περιμένουν** στο σπίτι.
Κατερίνα:	Εντάξει, Μαρία μου. Χάρηκα πολύ που σε είδα. Δώσε τους **χαιρετισμούς** μου στον Παναγιώτη και **φιλάκια** στα παιδιά.
Μαρία:	Εντάξει! Γεια σου, **καλή μου.**
Κατερίνα:	Γεια.

ΛΕΞΙΛΟΓΙΟ – VOCABULARY

δουλεύεις = you work — *verb:* δουλεύω

συναντιέται με = meets with — *verb:* συναντιέμαι

τυχαία = by chance

πολύ καιρό = (*accusative*) a long time — *nominative:* πολύς καιρός
έχω πολύ καιρό να σε δω = I haven't seen you in a long time

ο άντρας σου = your husband — *a little less formal than "ο σύζυγός σου"*

η εφημερίδα = newspaper

η δουλειά = job, work — βρήκα άλλη δουλειά = I found another job
βρίσκω δουλειά = to find a job

το περιοδικό = magazine

ο ρυθμός = rhythm

μουσικής = (*genitive*) of music — *nominative:* η μουσική

έτσι δεν είναι; = isn't it so?

κουράστηκα = I got tired — *verb:* κουράζομαι

πολιτικά = political — πολιτικός – πολιτική – πολιτικό

τα θέματα = issues, topics — *singular:* το θέμα

προτιμώ = I prefer

οι συνθέτες = composers — *singular:* ο συνθέτης

η κλασική μουσική = classical music

σύγχρονους = (*accusative*) contemporary — σύγχρονος – σύγχρονη – σύγχρονο

στιχουργούς = (*accusative*) lyricists — *nominative sing.:* ο στιχουργός

τραγουδιστές = singers — *nominative sing.:* ο τραγουδιστής

τα είδη = types, kinds — *singular:* το είδος

ακούγεται = it sounds

71

ενδιαφέρον = interesting	ενδιαφέρων – ενδιαφέρουσα – ενδιαφέρον
εργάζεσαι = you work	*verb:* εργάζομαι = δουλεύω = to work
δυστυχώς = unfortunately	*opposite:* ευτυχώς = fortunately
άνεργη = (*fem.*) unemployed	άνεργος – άνεργη – άνεργο
εδώ και τρεις μήνες = for three months now	εδώ και πέντε ώρες, εδώ και μια εβδομάδα, εδώ και δύο χρόνια, εδώ και μια δεκαετία, ...
δύσκολα = difficult	δύσκολος – δύσκολη – δύσκολο
ψάχνω = to search	ψάχνω να βρω δουλειά = I'm looking to find a job
ο/η γραμματέας = secretary	
όπου να 'ναι = anywhere	*also:* οπουδήποτε
θα το έχω υπόψη μου = I will keep it in mind	
η εταιρεία = company	*also spelled:* εταιρία
προσλαμβάνουν = they hire	*verb:* προσλαμβάνω
θα ρωτήσω = I will ask	*verb:* ρωτάω/ρωτώ
περιμένουν = they wait/are waiting	*verb:* περιμένω
χαιρετισμούς = (*accusative*) greetings, regards	*nominative sing.:* ο χαιρετισμός
τα φιλάκια = little kisses	*dinimutive of* τα φιλιά = kisses *nominative sing.:* το φιλί
καλή μου = (*fem.*) my dear	καλέ μου – καλή μου – καλό μου

ΣΗΜΕΙΩΣΕΙΣ – NOTES

ΑΣΚΗΣΕΙΣ – EXERCISES

1. Σωστό ή λάθος; – True or false?

		Σωστό	Λάθος
a.	Η Μαρία και η Κατερίνα είναι συμμαθήτριες.	☐	☐
b.	Στα παιδιά της Κατερίνας αρέσει πολύ το σχολείο.	☐	☐
c.	Η Μαρία δεν δουλεύει πια στην εφημερίδα.	☐	☐
d.	Η Μαρία γράφει για θέματα σχετικά με την πολιτική.	☐	☐
e.	Η Μαρία προτιμάει τα μουσικά θέματα από τα πολιτικά.	☐	☐
f.	Η Κατερίνα είναι άνεργη εδώ και δυο μήνες.	☐	☐
g.	Η Κατερίνα ψάχνει δουλειά σε μεγάλη εταιρεία.	☐	☐
h.	Η Κατερίνα θέλει να εργαστεί ως γραμματέας.	☐	☐
i.	Η Μαρία εργάζεται στην εφημερίδα «Νέος ρυθμός».	☐	☐
j.	Η Μαρία γράφει για κλασικούς αλλά και σύγχρονους συνθέτες.	☐	☐

2. Βάλε τα ρήματα στο πρώτο πρόσωπο του ενικού, στον ενεστώτα. – Put the verbs in the 1st person singular, in the present tense.

a. δουλεύεις   _____

b. συναντιέται   _____

c. μεγάλωσαν   _____

d. βρήκα   _____

e. κουράστηκα   _____

f. γράφεις   _____

g. ακούγεται   _____

h. εργάζεσαι   _____

i. προσλαμβάνουν   _____

j. θα ρωτήσω   _____

k. θα πω   _____

l. χάρηκα   _____

m. δώσε   _____

3. Βάλε τις λέξεις στη σωστή σειρά για να φτιάξεις προτάσεις.
– Put the words in the right order to make sentences.

a. πολύ – δω – να – έχω – καιρό – σε

b. σχολείο – τα – παιδιά – πηγαίνουν – και – μεγάλωσαν

c. εφημερίδα – στην – πια – εργάζομαι – δεν

d. θέματα – για – να – κουράστηκα – πολιτικά – γράφω

e. εδώ – μήνες – και – άνεργη – τρεις – είμαι – δυστυχώς

f. πολύ – είδα – σε – πάρα – που – χάρηκα

g. άντρα – τους – δώσε – μου – χαιρετισμούς – σου – στον

4. Διάλεξε τη σωστή απάντηση. – Choose the right answer.

a. Η Μαρία:

    i.   είναι γραμματέας
    ii.   δουλεύει σε μια εφημερίδα
    iii. δουλεύει σε ένα περιοδικό
    iv. είναι άνεργη

b. Η Μαρία και η Κατερίνα:

    i.   συναντιούνται συχνά
    ii.   συναντιούνται σπάνια
    iii. μιλάνε συχνά στο τηλέφωνο
    iv. συναντιούνται κάθε τρεις μήνες

c. Στο περιοδικό, η Μαρία γράφει:

    i.   για πολιτικούς
    ii.   για στιχουργούς
    iii. για γραμματείς
    iv. τραγούδια

d. Η Κατερίνα θέλει να εργαστεί:

    i.   στο περιοδικό «Νέος ρυθμός»
    ii.   σε μια εφημερίδα
    iii. στην εταιρεία του Παναγιώτη
    iv. όπου να 'ναι

ΛΥΣΕΙΣ ΤΩΝ ΑΣΚΗΣΕΩΝ – ANSWERS TO THE EXERCISES

1. a. Λάθος, b. Λάθος, c. Σωστό, d. Λάθος, e. Σωστό,
   f. Λάθος, g. Λάθος, h. Σωστό, i. Λάθος, j. Σωστό

2. a. δουλεύω, b. συναντιέμαι, c. μεγαλώνω, d. βρίσκω,
   e. κουράζομαι, f. γράφω, g. ακούγομαι, h. εργάζομαι,
   i. προσλαμβάνω, j. ρωτάω/ρωτώ, k. λέω, l. χαίρομαι,
   m. δίνω

3. a. Έχω πολύ καιρό να σε δω.
   b. Τα παιδιά μεγάλωσαν και πηγαίνουν σχολείο.
   c. Δεν εργάζομαι πια στην εφημερίδα.
   d. Κουράστηκα να γράφω για πολιτικά θέματα.
   e. Δυστυχώς είμαι άνεργη εδώ και τρεις μήνες. /
      Δυστυχώς, εδώ και τρεις μήνες είμαι άνεργη.
   f. Χάρηκα πάρα πολύ που σε είδα.
   g. Δώσε τους χαιρετισμούς μου στον άντρα σου.

4. a. iii. δουλεύει σε ένα περιοδικό
   b. ii. συναντιούνται σπάνια
   c. ii. για στιχουργούς
   d. iv. όπου να 'ναι

Τέλος 6ου κεφαλαίου.

Σούπερ!

Κεφάλαιο 7 – Chapter 7

Τι θα φάμε σήμερα;
What are we eating today?

Λλέξης: Μαμά, τι **φαγητό** έχουμε σήμερα;

Μαμά: Δεν έχουμε.

Κωστής: Τι εννοείς;

Μαμά: Εννοώ ότι δεν **έχω μαγειρέψει** ακόμα. Τι θέλετε **να σας φτιάξω**;

Αλέξης: **Παστίτσιο!**

Κωστής: **Όχι πάλι** παστίτσιο! **Προχτές** φάγαμε.

Αλέξης: Ναι αλλά είναι το **αγαπημένο** μου φαγητό.

Κωστής: Εμένα όμως δεν είναι.

Αλέξης: Ξέρω, εσύ θέλεις όλο **πατάτες τηγανιτές** και **μπιφτέκια**.

Κωστής: Ή πατάτες με **λουκάνικα, το ίδιο μού κάνει.**

Αλέξης: Καλά, δεν έχω πρόβλημα.

Μαμά: Έχω όμως εγώ. Δεν έχουμε λουκάνικα. Ούτε προλαβαίνω να **ξεπαγώσω κιμά** για μπιφτέκια.

Αλέξης: Εσύ τι θέλεις να φτιάξεις, μαμά;

Μαμά: **Σπανακόριζο.** Έχουμε καιρό να φάμε.

Κωστής: Τι; Αχ, όχι!

Μαμά: Γιατί; Αφού σας αρέσει έτσι όπως το φτιάχνω, με μπόλικο λεμονάκι και **φέτα**. **Εξάλλου** είναι πολύ **υγιεινό**.

Κωστής: Και τα λουκάνικα είναι υγιεινά.

Μαμά: Δε νομίζω! Ειδικά **σε συνδυασμό με** τηγανιτές πατάτες.

Αλέξης: **Γι' αυτό σας λέω**, παστίτσιο. Είναι μια **μέση λύση**. Και **νόστιμο** και υγιεινό. Ή έστω μια **μακαρονάδα** με κιμά.

Μαμά: Είπαμε, δεν προλαβαίνω να ξεπαγώσω κιμά.

Αλέξης: Τότε με **κόκκινη σάλτσα**.

Κωστής: Ναι, **συμφωνώ** κι εγώ.

Μαμά: Ωραία, ευτυχώς που συμφωνήσατε **μεταξύ** σας! Τον μπαμπά **τον σκεφτήκατε**; Δεν του αρέσουν τα **μακαρόνια**.

Αλέξης:	Ο μπαμπάς όλο λαχανικά θέλει να τρώει. Κολοκυθάκια, **μελιτζάνες, φασολάκια, μπάμιες**, ...
Μαμά:	Απ' όλα πρέπει να τρώμε. **Καλό είναι να** έχουμε μια **ισορροπημένη διατροφή**. Πρέπει να τρώμε λαχανικά, **όσπρια, ψάρι, κρέας, κοτόπουλο, λαδερά**, ...
Κωστής:	Η συμμαθήτριά μου, η Αθηνά, μου είπε ότι στο σπίτι της δεν τρώνε ποτέ κρέας. Είναι **χορτοφάγοι**. Εμείς γιατί δεν είμαστε;
Μαμά:	Θέλεις να γίνεις χορτοφάγος; Καλά, δε σου **ξαναφτιάχνω** λουκάνικα.
Κωστής:	Τι; **Με τίποτα!**

...

Χτυπάει το τηλέφωνο

...

Μαμά:	Παρακαλώ;
Μπαμπάς:	Έλα, Μαρία, εγώ είμαι. Μη μαγειρέψεις τίποτα, **φέρνω** πίτσα.
Μαμά:	Τέλεια! **Με έσωσες!** Μην ξεχάσεις να τους πεις να μη βάλουν **μανιτάρια**, τα παιδιά δεν τα τρώνε.
Μπαμπάς:	Όχι, μόνο **ζαμπόν, τυρί, πράσινη πιπεριά** και ντομάτα.
Μαμά:	Και **ελιές**.
Μπαμπάς:	Εντάξει. **Σε μισή ώρα** θα είμαι εκεί.
Μαμά:	**Σε περιμένουμε**. Γεια.

Κωστής: Κατάλαβα καλά; Ο μπαμπάς φέρνει πίτσα;

Μαμά: Καλά κατάλαβες. **Τυχεροί** είστε. Κι εγώ επίσης.

Αλέξης: **Ζήτω**!

Κωστής: Τέλεια!

ΛΕΞΙΛΟΓΙΟ - VOCABULARY

θα φάμε = we will eat

verb: τρώω

το φαγητό = food

also: το φαΐ (*less formal than* το φαγητό)

έχω μαγειρέψει = I have cooked

verb: μαγειρεύω = to cook

να σας φτιάξω = to make for you

verb: φτιάχνω = to make

το παστίτσιο = pastitsio

pasta dish with ground meat and bechamel sauce

όχι πάλι = not again

προχτές = the day before yesterday

αγαπημένο = favorite

αγαπημένος – αγαπημένη - αγαπημένο

πατάτες τηγανιτές = French fries

also: τηγανιτές πατάτες

τα μπιφτέκια = burgers

singular: το μπιφτέκι

τα λουκάνικα = hot dogs, sausages

singular: το λουκάνικο

το ίδιο μού κάνει = it's the same to me

also: μου κάνει το ίδιο

να ξεπαγώσω = to defrost

verb: ξεπαγώνω

κιμά = (*accusative*) ground meat

nominative: ο κιμάς

το σπανακόριζο = spinach-rice dish

typical Greek dish with spinach & rice, usually served with lemon

η φέτα = feta cheese

φέτα *also means* slice, but here it refers to the cheese

εξάλλου = besides

υγιεινό = (*neut.*) healthful

υγιεινός – υγιεινή – υγιεινό

σε συνδυασμό με = in combination with

ο συνδυασμός = combination

γι' αυτό σας λέω = that's why I'm telling you

μέση λύση = middle-ground solution

νόστιμο = (*neut.*) tasty

νόστιμος – νόστιμη – νόστιμο

η μακαρονάδα = pasta dish

η κόκκινη σάλτσα = red (tomato) sauce

συμφωνώ = I agree

μεταξύ = between

τον σκεφτήκατε; = did you think about him?, did you consider him?

τα μακαρόνια = pasta

οι μελιτζάνες = eggplants

τα φασολάκια = green beans

οι μπάμιες = okra

καλό είναι να ... = it's good to ...

ισορροπημένη = (fem.) balanced

η διατροφή = diet, nutrition

τα όσπρια = legumes

το ψάρι = fish

το κρέας = meat

το κοτόπουλο = chicken

τα λαδερά = dishes cooked in olive oil

χορτοφάγοι = vegetarians

ξαναφτιάχνω = make again

με τίποτα = no way

χτυπάει το τηλέφωνο = the phone rings

φέρνω = I bring / I am bringing

με έσωσες = you saved me

τα μανιτάρια = mushrooms

το ζαμπόν = ham

το τυρί = cheese

η πράσινη πιπεριά = green pepper

οι ελιές = olives

σε μισή ώρα = in half an hour

σε περιμένουμε = we are waiting for you

τυχεροί = (masc. pl.) lucky

ζήτω! = hooray!

μεταξύ σας = between you

σκέφτηκα = I thought
verb: σκέφτομαι = I think, ponder

singular: η μελιτζάνα

singular: το φασολάκι

singular: η μπάμια

also: είναι καλό να ...

ισορροπημένος – ισορροπημένη – ισορροπημένο

singular: χορτοφάγος

from ξανά (again) + φτιάχνω (make)

verb: σώζω = to save

singular: το μανιτάρι

singular: η ελιά

μισός – μισή – μισό = half

verb: περιμένω = to wait

τυχερός – τυχερή – τυχερό

ΣΗΜΕΙΩΣΕΙΣ – NOTES

ΑΣΚΗΣΕΙΣ – EXERCISES

1. Σωστό ή λάθος; – True or false?

		Σωστό	**Λάθος**
a.	Σήμερα η μαμά θα μαγειρέψει παστίτσιο.	☐	☐
b.	Το παστίτσιο είναι το αγαπημένο φαγητό του Κωστή και του Αλέξη.	☐	☐
c.	Στον Κωστή αρέσουν τα λουκάνικα και οι τηγανιτές πατάτες.	☐	☐
d.	Η μαμά θέλει να φτιάξει σπανακόριζο σήμερα.	☐	☐
e.	Ο Κωστής και ο Αλέξης έφαγαν σπανακόριζο προχτές.	☐	☐
f.	Τα λουκάνικα είναι πολύ υγιεινά, ειδικά σε συνδυασμό με τηγανιτές πατάτες.	☐	☐
g.	Στον μπαμπά του Κωστή και του Αλέξη δεν αρέσουν τα μακαρόνια.	☐	☐
h.	Ο μπαμπάς είναι χορτοφάγος.	☐	☐
i.	Σήμερα ο μπαμπάς θα φέρει πίτσα.	☐	☐
j.	Στον Κωστή και στον Αλέξη αρέσει πολύ η πίτσα με ζαμπόν, τυρί, ντομάτα και μανιτάρια.	☐	☐

2. Βάλε τα ρήματα στο πρώτο πρόσωπο του ενικού, στον ενεστώτα. – Put the verbs in the 1st person singular, in the present tense.

a. θα φάμε   _____

b. εννοείς   _____

c. να φτιάξω   _____

d. φάγαμε   _____

e. να ξεπαγώσω   _____

f. συμφωνήσατε   _____

g. θέλει   _____

h. τρώνε   _____

i. είμαστε   _____

j. να γίνεις   _____

k. έσωσες   _____

l. να βάλουν   _____

m. κατάλαβες   _____

3. Βάλε τις λέξεις στον πληθυντικό. – Put the words in the plural.

a. το φαγητό   _____

b. η πατάτα   _____

c. το μπιφτέκι   _____

d. το λεμονάκι   _____

e. η λύση   _____

f. η μελιτζάνα   _____

g. το ψάρι   _____

h. το κρέας   _____

i. η πίτσα   _____

j. το τυρί   _____

k. η πράσινη πιπεριά   _____

l. η ντομάτα   _____

4. Συμπλήρωσε τα κενά. – Fill in the blanks.

καιρό – τηγανιτές – διατροφή – έχει – χωρίς – φέρνει –
υγιεινό – χορτοφάγοι – ξεπαγώσει – αγαπημένο

a. Η μαμά δεν _____ μαγειρέψει ακόμα.

b. Το παστίτσιο είναι το _____ μου φαγητό.

c. Στον Κωστή αρέσουν οι _____ πατάτες.

d. Η μαμά δεν προλαβαίνει να _____ κιμά για
μπιφτέκια.

e. Έχουμε πολύ _____ να φάμε σπανακόριζο.

f. Το σπανακόριζο είναι πολύ _____ φαγητό.

g. Είναι καλό να έχουμε μια ισορροπημένη _____.

h. Στο σπίτι της Αθηνάς δεν τρώνε κρέας, είναι _____.

i. Μας αρέσει η πίτσα με τυρί και ζαμπόν αλλά _____
μανιτάρια.

j. Σήμερα η μαμά δεν θα μαγειρέψει γιατί ο μπαμπάς
_____ πίτσα.

5. Βάλε τις λέξεις στη σωστή σειρά για να φτιάξεις προτάσεις.
– Put the words in the right order to make sentences.

a.
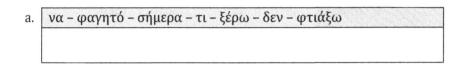
να – φαγητό – σήμερα – τι – ξέρω – δεν – φτιάξω

b.
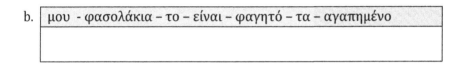
μου - φασολάκια – το – είναι – φαγητό – τα – αγαπημένο

c.
φάω – καιρό – να – έχω – μακαρονάδα – πολύ

d.
λεμόνι – μου – φέτα – και – το – μπόλικη – σπανακόριζο – πολύ – με – αρέσει

e.
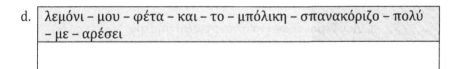
υγιεινές – οι – είναι – πατάτες – δεν – πολύ – τηγανιτές

f.
από – μού – πιο – αρέσει – μπάμιες – πίτσα – πολύ – η – τις

91

ΛΥΣΕΙΣ ΤΩΝ ΑΣΚΗΣΕΩΝ – ANSWERS TO THE EXERCISES

1. a. Λάθος, b. Λάθος, c. Σωστό, d. Σωστό, e. Λάθος,
   f. Λάθος, g. Σωστό, h. Λάθος, i. Σωστό, j. Λάθος

2. a. τρώω, b. εννοώ, c. φτιάχνω, d. τρώω, e. ξεπαγώνω,
   f. συμφωνώ, g. θέλω, h. τρώω, i. είμαι, j. γίνομαι,
   k. σώζω, l. βάζω, m. καταλαβαίνω

3. a. τα φαγητά, b. οι πατάτες, c. τα μπιφτέκια,
   d. τα λεμονάκια, e. οι λύσεις, f. οι μελιτζάνες,
   g. τα ψάρια, h. τα κρέατα, i. οι πίτσες, j. τα τυριά,
   k. οι πράσινες πιπεριές, l. οι ντομάτες

4. a. έχει, b. αγαπημένο, c. τηγανιτές, d. ξεπαγώσει,
   e. καιρό, f. υγιεινό, g. διατροφή, h. χορτοφάγοι,
   i. χωρίς, j. φέρνει

5. a. Δεν ξέρω τι φαγητό να φτιάξω σήμερα.
   b. Τα φασολάκια είναι το αγαπημένο μου φαγητό.
   c. Έχω πολύ καιρό να φάω μακαρονάδα.
   d. Το σπανακόριζο μου αρέσει με πολύ λεμόνι και
      μπόλικη φέτα. / Μου αρέσει πολύ το σπανακόριζο με
      λεμόνι και μπόλικη φέτα. / Το σπανακόριζο μου αρέσει
      πολύ με μπόλικη φέτα και λεμόνι. / Το σπανακόριζο μου
      αρέσει πολύ με λεμόνι και μπόλικη φέτα.
   e. Οι τηγανιτές πατάτες δεν είναι πολύ υγιεινές.
   f. Η πίτσα μού αρέσει πιο πολύ από τις μπάμιες.

Τέλος 7ου κεφαλαίου.

χίλια μπράβο!

Κεφάλαιο 8 – Chapter 8

Τι θέλεις να γίνεις όταν μεγαλώσεις;
What do you want to be when you grow up?

Ο Κωστής μιλάει με τον φίλο του τον Αποστόλη στην αυλή του σχολείου.

Κωστής: Αποστόλη, τι **θες να γίνεις** όταν μεγαλώσεις;

Αποστόλης: Δεν **έχω αποφασίσει** ακόμα. **Μάλλον κτηνίατρος.**

Κωστής: **Αλήθεια; Πώς κι έτσι;**

Αποστόλης: **Λατρεύω** τα **ζώα.** Αλλά λατρεύω και το **ποδόσφαιρο,** γι' αυτό δεν μπορώ να αποφασίσω αν προτιμώ να γίνω κτηνίατρος ή **ποδοσφαιριστής.**

Κωστής: Νομίζω ότι το ποδόσφαιρο είναι πολύ πιο διασκεδαστικό. Η κτηνιατρική νομίζω πως είναι πάρα πολύ **δύσκολη.**

Αποστόλης. **Δε με πειράζει** που είναι δύσκολη, **δε με φοβίζει** αυτό. Και το ποδόσφαιρο έχει τις **δυσκολίες** του.

Κωστής: **Σωστά.** Για παράδειγμα, υπάρχει μεγάλος **ανταγωνισμός.**

Αποστόλης: Ακριβώς. Εσύ τι θέλεις να γίνεις όταν μεγαλώσεις;

Κωστής: **Δεν έχω ιδέα!** Το μόνο **σίγουρο** είναι ότι δε θέλω να γίνω **δικηγόρος** σαν τον μπαμπά μου. Είναι **συνεχώς αγχωμένος** και περνάει **ατέλειωτες** ώρες στο **γραφείο** του. Μου φαίνεται πολύ δύσκολο και **παράλληλα βαρετό επάγγελμα**.

Αποστόλης: Γιατί δε γίνεσαι **δημοσιογράφος** σαν τη μαμά σου;

Κωστής: **Το σκέφτομαι. Η αλήθεια**, όμως, είναι ότι δε μου αρέσει και τόσο πολύ να γράφω.

Αποστόλης: Και τι σ' αρέσει να κάνεις;

Κωστής: Μου αρέσουν πολύ οι **κατασκευές**. Θα μπορούσα να γίνω **μηχανικός**.

Αποστόλης: **Ωραίο** ακούγεται! Τι θες να **κατασκευάζεις**; **Γέφυρες**; **Κτήρια**;

Κωστής:	Τα πάντα! Ακόμα κι **αεροπλάνα**! Αλλά περισσότερο θα μου άρεσε να σχεδιάζω και να κατασκευάζω μεγάλα κτήρια.
Αποστόλης:	Ε, τότε θα πρέπει να αποφασίσεις αν θέλεις να γίνεις **αρχιτέκτονας** ή **πολιτικός μηχανικός**.
Κωστής:	Ναι. Και **προγραμματιστής** θα μου άρεσε. Λατρεύω τους **υπολογιστές**! Πολλά θα μου άρεσαν. Γι' αυτό σου λέω, δεν ξέρω ακόμα τι θέλω να γίνω.
Αποστόλης:	Ο Αλέξης τι θέλει να γίνει;
Κωστής:	Ο αδελφός μου; **Σεφ**! Το έχει αποφασίσει εδώ και καιρό. Θέλει, λέει, να ανοίξει ένα μεγάλο **εστιατόριο** στο **κέντρο** της Θεσσαλονίκης.
Αποστόλης:	Ωραία! Θα πηγαίνουμε και θα τρώμε **δωρεάν**!

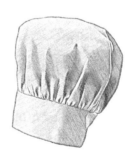

Κωστής:	Χα χα! **Θα δούμε. Πάντως μέχρι τώρα**, όσες φορές πήγε να **βοηθήσει** τη μαμά στην **κουζίνα, τα έκανε θάλασσα**. Το φαγητό **δεν τρωγόταν**!
Αποστόλης:	Ε, **περίμενε**, ακόμα μικρός είναι. **Θα μάθει**.
Κωστής:	Ο ξάδελφός σου δε δουλεύει σε εστιατόριο;

Αποστόλης:	Ναι, αλλά δεν είναι σεφ. Είναι **σερβιτόρος. Κι αυτό, μόνο τα καλοκαίρια. Σπουδάζει μετάφραση** παράλληλα.
Κωστής:	Α, η θεία μου είναι **μεταφράστρια**! Λέει ότι είναι πολύ **ευχάριστο** επάγγελμα, λατρεύει τη δουλειά της. Μου έχει πει ότι με κάθε **κείμενο** που **μεταφράζει**, μαθαίνει και κάτι καινούριο.
Αποστόλης:	Δεν ξέρω... Έχω την **εντύπωση** ότι είναι πολύ **κουραστική** δουλειά.
Κωστής:	**Οι περισσότερες** είναι.
Αποστόλης:	Ναι, δίκο έχεις. Γι' αυτό πρέπει να βρούμε κάτι που να μας αρέσει **πραγματικά**, ώστε η δουλειά να γίνεται ευχάριστα.
Κωστής:	Αυτό ακριβώς. Ευτυχώς έχουμε ακόμα πολύ καιρό να αποφασίσουμε.
Αποστόλης:	Ναι, ευτυχώς!

ΛΕΞΙΛΟΓΙΟ – VOCABULARY

θες = you want	*informal form of* θέλεις, *used between friends*
να γίνεις = to become	*verb:* γίνομαι
έχω αποφασίσει = I have decided	*verb:* αποφασίζω δεν έχω αποφασίσει ακόμα = I have not decided yet
μάλλον = probably	
ο/η κτηνίατρος = veterinarian	
αλήθεια = really	
πώς κι έτσι; = how come?	
λατρεύω = I adore	
τα ζώα = animals	*singular:* το ζώο
το ποδόσφαιρο = soccer	
ο ποδοσφαιριστής = soccer player	
δύσκολη = (*fem.*) difficult	δύσκολος – δύσκολη – δύσκολο
δε με πειράζει = I don't mind	*verb:* πειράζω
δε με φοβίζει = it does not scare me	*verb:* φοβίζω
οι δυσκολίες = difficulties	*singular:* η δυσκολία *opposite:* η ευκολία
σωστά = right, correctly	
ο ανταγωνισμός = competition	
δεν έχω ιδέα = I have no idea	
σίγουρο = sure, certain	σίγουρος – σίγουρη – σίγουρο
ο/η δικηγόρος = lawyer	
συνεχώς = continuously, all the time	

98

αγχωμένος = (*masc.*) stressed	αγχωμένος – αγχωμένη – αγχωμένο
ατέλειωτες = (*fem. pl.*) endless	ατέλειωτος – ατέλειωτη – ατέλειωτο *also:* ατελείωτος – ατελείωτη – ατελείωτο
το γραφείο = office	
παράλληλα = at the same time	
βαρετό = (*neut.*) boring	βαρετός – βαρετή – βαρετό
το επάγγελμα = profession	
ο δημοσιογράφος = journalist	*fem.:* η δημοσιογράφος (*same as masc., only the article changes*)
το σκέφτομαι = I'm thinking about it, I'm considering it	
η αλήθεια είναι = the truth is	
οι κατασκευές = constructions	
ο/η μηχανικός = engineer	*also:* μηχανικός = mechanic
ωραίο = (*neut.*) nice	ωραίος – ωραία – ωραίο ωραίο ακούγεται = it sounds nice
κατασκευάζεις = you construct, build	*verb:* κατασκευάζω
γέφυρες = bridges	*singular:* η γέφυρα
κτήρια = buildings	*singular:* το κτήριο *also spelled:* το κτίριο
αεροπλάνα = airplanes	*singular:* το αεροπλάνο
ο αρχιτέκτονας = architect	*fem.:* η αρχιτέκτονας (*same as masc., only the article changes*)
ο πολιτικός μηχανικός = civil engineer	*fem.:* η πολιτικός μηχανικός (*same as masc., only the article changes*)
ο προγραμματιστής = computer programmer	*fem.:* η προγραμματίστρια
οι υπολογιστές = computers	*singular:* ο υπολογιστής *also:* το κομπιούτερ
ο σεφ = chef	*fem.:* η σεφ
το εστιατόριο = restaurant	
το κέντρο = center	

δωρεάν = free of charge

θα δούμε = we'll see   *verb:* βλέπω

πάντως = in any case

μέχρι τώρα = so far, until now

να βοηθήσει = to help   *verb:* βοηθάω/βοηθώ

η κουζίνα = kitchen

τα έκανε θάλασσα = he messed up   *expression:* τα κάνω θάλασσα = to
                                                                   mess up
                                                                   also: τα θαλασσώνω

δεν τρωγόταν = could not be eaten,   *verb:* τρώω = to eat (*active voice*)
   was not edible   τρώγομαι = to be eaten (*passive
                                                                   voice*)

περίμενε = wait   *verb:* περιμένω = to wait

θα μάθει = he will learn   *verb:* μαθαίνω

ο σερβιτόρος = waiter   *fem.:* η σερβιτόρα

κι αυτό, μόνο τα καλοκαίρια = and that,
   only in the summer

σπουδάζει = he studies/is studying   *verb:* σπουδάζω = to study (in
                                                                   college/university)

η μετάφραση = translation

η μεταφράστρια = (*fem.*) translator   *masc.:* ο μεταφραστής

ευχάριστο = (*neut.*) pleasant   ευχάριστος – ευχάριστη –
                                                                   ευχάριστο

το κείμενο = text

μεταφράζει = she translates   *verb:* μεταφράζω = to translate

η εντύπωση = impression   έχω την εντύπωση ότι ... = I have
                                                                   the impression that ...

κουραστική = (*fem.*) tiring   κουραστικός – κουραστική –
                                                                   κουραστικό

οι περισσότερες = (*fem. pl.*) most   οι περισσότεροι – οι
                                                                   περισσότερες – τα περισσότερα

πραγματικά = really, truly

ΣΗΜΕΙΩΣΕΙΣ – NOTES

ΑΣΚΗΣΕΙΣ – EXERCISES

1. Σωστό ή λάθος; – True or false?

		Σωστό	Λάθος
a.	Ο Αποστόλης έχει αποφασίσει να γίνει κτηνίατρος.	☐	☐
b.	Ο Αποστόλης λατρεύει τα ζώα.	☐	☐
c.	Ο Κωστής λέει ότι η κτηνιατρική είναι δύσκολη.	☐	☐
d.	Στο ποδόσφαιρο υπάρχει μεγάλος ανταγωνισμός.	☐	☐
e.	Ο Κωστής θέλει να γίνει δικηγόρος σαν τον μπαμπά του.	☐	☐
f.	Ο μπαμπάς του Κωστή είναι πάντα αγχωμένος.	☐	☐
g.	Ο Κωστής έχει αποφασίσει να γίνει αρχιτέκτονας ή πολιτικός μηχανικός.	☐	☐
h.	Ο Αλέξης θέλει να γίνει σεφ.	☐	☐
i.	Ο ξάδελφος του Αποστόλη είναι σεφ σε εστιατόριο.	☐	☐
j.	Η θεία του Κωστή είναι μεταφράστρια.	☐	☐

2. Ταίριαξε τις λέξεις στα αριστερά με το αντίθετό τους στα δεξιά. – Match the words on the left with their opposite on the right.

a.	δύσκολη	παλιό
b.	μεγάλος	το ψέμα
c.	διασκεδαστικό	κλείνω
d.	η δυσκολία	δυστυχώς
e.	η αλήθεια	εύκολη
f.	πολλά	δυσάρεστο
g.	ανοίγω	βαρετό
h.	ευχάριστο	η ευκολία
i.	καινούριο	λιγότερες
j.	περισσότερες	μικρός
k.	ευτυχώς	λίγα

3. Συμπλήρωσε τα κενά. – Fill in the blanks.

> υπολογιστές - θάλασσα - αποφασίσει - γίνω - εστιατόριο -
> κουραστική - προτιμώ - παράλληλα - διασκεδαστικό - ώρες

a. Όταν μεγαλώσω θέλω να _____ κτηνίατρος.

b. _____ να γίνω ποδοσφαιριστής παρά αρχιτέκτονας.

c. Το ποδόσφαιρο είναι _____ αλλά δύσκολο.

d. Ο μπαμπάς μου περνάει ατέλειωτες _____ στο γραφείο του.

e. Θα μου άρεσε να γίνω προγραμματιστής γιατί λατρεύω τους _____.

f. Ο Αλέξης θέλει να γίνει σεφ και να ανοίξει ένα _____.

g. Όποτε μαγειρεύει ο Αλέξης, τα κάνει _____.

h. Η ξαδέλφη μου είναι σερβιτόρα και _____ σπουδάζει αρχιτεκτονική.

i. Ακόμα δεν έχω _____ τι θέλω να σπουδάσω.

j. Νομίζω ότι η μετάφραση είναι πολύ _____ δουλειά.

104

4. Διάλεξε τη σωστή απάντηση. – Choose the right answer.

a. Ο Κωστής δεν θέλει να γίνει:

    i. προγραμματιστής
    ii. αρχιτέκτονας
    iii. δικηγόρος
    iv. πολιτικός μηχανικός

b. Ο Αλέξης θέλει να γίνει:

    i. κτηνίατρος
    ii. ποδοσφαιριστής
    iii. δημοσιογράφος
    iv. σεφ

c. Η μαμά του Κωστή και του Αλέξη είναι:

    i. σεφ
    ii. δημοσιογράφος
    iii. μεταφράστρια
    iv. κτηνίατρος

d. Ο Κωστής:

    i. δεν έχει αποφασίσει τι θα γίνει όταν μεγαλώσει
    ii. έχει αποφασίσει να γίνει μηχανικός
    iii. θέλει να ανοίξει εστιατόριο στη Θεσσαλονίκη
    iv. θέλει να γίνει δικηγόρος σαν τον μπαμπά του

ΛΥΣΕΙΣ ΤΩΝ ΑΣΚΗΣΕΩΝ – ANSWERS TO THE EXERCISES

1. a. Λάθος, b. Σωστό, c. Σωστό, d. Σωστό, e. Λάθος,
    f. Σωστό, g. Λάθος, h. Σωστό, i. Λάθος, j. Σωστό

2. a. δύσκολη – εύκολη, b. μεγάλος – μικρός,
    c. διασκεδαστικό – βαρετό, d. η δυσκολία – η ευκολία,
    e. η αλήθεια – το ψέμα, f. πολλά – λίγα, g. ανοίγω – κλείνω,
    h. ευχάριστο – δυσάρεστο, i. καινούριο – παλιό,
    j. περισσότερες – λιγότερες, k. ευτυχώς – δυστυχώς

3. a. γίνω, b. Προτιμώ, c. διασκεδαστικό, d. ώρες,
    e. υπολογιστές, f. εστιατόριο, g. θάλασσα, h. παράλληλα,
    i. αποφασίσει, j. κουραστική

4. a. iii. δικηγόρος
    b. iv. σεφ
    c. ii. δημοσιογράφος
    d. i. δεν έχει αποφασίσει τι θα γίνει όταν μεγαλώσει

Τέλος 8ου κεφαλαίου.

Υπέροχα!

Κεφάλαιο 9 – Chapter 9

Πήραμε σκύλο!
We got a dog!

Αλέξης: Κωστή, **πλησιάζουν** τα **γενέθλιά** μας.

Κωστής: Ναι, έχω μέρες που σκέφτομαι τι δώρο να **ζητήσω** απ' τη μαμά και τον μπαμπά.

Αλέξης: Εγώ **λέω να ζητήσω** ένα ποδήλατο.

Κωστής: Μα έχεις ποδήλατο. Όπως κι εγώ.

Αλέξης: **Έχει σκουριάσει!** Κι επίσης **μου πέφτει πολύ μικρό**. Και το δικό σου είναι μικρό και αρκετά **παλιό**.

Κωστής: Δε με νοιάζει. Εγώ δε θέλω ποδήλατο.

Αλέξης: Και τι θέλεις;

Κωστής: Σκύλο!

Αλέξης: Τι; Σκύλο; Τι τέλεια ιδέα!

Κωστής: Ναι αλλά θα μου τον πάρουν;

Αλέξης: Αν τον ζητήσουμε μαζί, ίσως μας τον πάρουν.

Κωστής: Δηλαδή ένα δώρο **και για τους δυο μας**; Και το ποδήλατο;

Αλέξης: **Του χρόνου** το ποδήλατο. Ένας σκύλος είναι πολύ πιο διασκεδαστικός.

Κωστής: Ναι αλλά δεν είναι μόνο διασκέδαση, είναι και **ευθύνη**. Ποιος θα **καθαρίζει όποτε κατουράει** μες στο σπίτι;

Αλέξης: Η μαμά!

Κωστής: Και ποιος θα τον πηγαίνει στον **γιατρό** όταν **χρειάζεται**;

Αλέξης: Η μαμά.

Κωστής: Κι εμείς τι θα κάνουμε; Μόνο θα παίζουμε μαζί του;

Αλέξης: Όχι μόνο αυτό. Θα τον πηγαίνουμε και **βόλτα**.

Κωστής: Κάθε μέρα;

Αλέξης: Ναι! **Μια εσύ, μια εγώ**. Ή και οι δύο μαζί. Επίσης θα τον **ταΐζουμε**.

Κωστής: Και ποιος θα αγοράζει το φαγητό του;

Αλέξης: Χμμμ.... Η μαμά.

Κωστής: Πολλά πράγματα θα πρέπει να κάνει η μαμά. Δε νομίζω να **δεχτεί** να πάρουμε σκύλο. Εκτός αν της **υποσχεθούμε** ότι θα καθαρίζουμε εμείς όταν κατουράει ή γεμίζει το σπίτι **τρίχες**, ότι θα αγοράζουμε εμείς το φαγητό του, ...

Αλέξης: Με τι **λεφτά**;

Κωστής: Θα ζητάμε από τον μπαμπά!

Αλέξης: Εντάξει. **Ας προσπαθήσουμε.**

...

Τρεις μήνες αργότερα

...

Αλέξης: Κωστή, θα πας τον σκύλο βόλτα;

Κωστής: **Βαριέμαι.** Πήγαινέ τον εσύ.

Αλέξης: Δεν μπορώ, **πονάει** το πόδι μου.

Κωστής: Γιατί; Το **χτύπησες**;

Αλέξης: Ναι.

Κωστής: Πού;

Αλέξης: Στο **τραπεζάκι του σαλονιού.**

Κωστής:	**Ψευτιές!**
Αλέξης:	**Αλήθεια σου λέω**. Πονάω.
Κωστής:	Φαγητό τού έδωσες;
Αλέξης:	Όχι, ξέχασα.
Κωστής:	Κι εγώ! **Θα πεινάει!**
Αλέξης:	Σίγουρα. Τον βγάλαμε έξω για να κατουρήσει σήμερα;
Κωστής:	Εγώ όχι. Εσύ;
Αλέξης:	**Ούτε εγώ**. Πονάει το πόδι μου, σου λέω!
Κωστής:	Μα πότε το χτύπησες το πόδι σου;
Αλέξης:	**Δε θυμάμαι**.
Κωστής:	Α, δε θυμάσαι. Ωραία **δικαιολογία** βρήκες.
Μαμά:	Παιδιά, ο σκύλος σας κατούρησε στην κουζίνα. Καθάρισα εγώ. Του έβαλα φαΐ και νερό, και τώρα **ετοιμάζομαι να** τον πάω βόλτα. Μόνο ένα πράγμα έχω να σας πω: του χρόνου, να το ξεχάσετε το ποδήλατο!

ΛΕΞΙΛΟΓΙΟ – VOCABULARY

πλησιάζουν = they are approaching	*verb:* πλησιάζω
τα γενέθλια = birthday	
να ζητήσω = to ask for, to request	*verb:* ζητάω/ζητώ
λέω να ζητήσω = I'm thinking of asking	*expression:* λέω να ... = σκέφτομαι να ... = I'm thinking of (doing something)
έχει σκουριάσει = it has rusted	*verb:* σκουριάζω
μου πέφτει μικρό = it's too small for me	*expression:* μου πέφτει... το παντελόνι μού πέφτει μακρύ = the pants are too long for me
παλιό = (*neut.*) old	παλιός – παλιά – παλιό
δε με νοιάζει = I don't care	
και για τους δυο μας = for both of us	
του χρόνου = next year	
η ευθύνη = responsibility	
καθαρίζει = cleans	*verb:* καθαρίζω = to clean
όποτε = whenever	
κατουράει = pees, urinates	*verb:* κατουράω
ο γιατρός = doctor	*fem.:* η γιατρός (same as masc., only the article changes)
χρειάζεται = it is necessary	
η βόλτα = stroll, walk	
μια εσύ, μια εγώ = we'll alternate	*literally:* μια εσύ, μια εγώ = one time you, one time me
ταΐζουμε = we feed	*verb:* ταΐζω = to feed
να δεχτεί = for him/her to accept	*verb:* δέχομαι = to accept
αν υποσχεθούμε = if we promise	*verb:* υπόσχομαι = to promise
οι τρίχες = hairs	*singular:* η τρίχα = hair

τα λεφτά = money	*also:* τα χρήματα (*more formal than* λεφτά)
ας προσπαθήσουμε = let's try	*verb:* προσπαθώ
βαριέμαι = I am bored	
πονάει = hurts	*verb:* πονάω = to be in pain
το χτύπησες; = did you hurt it?	*verb:* χτυπάω/χτυπώ (κάτι) = to hit (something) χτυπάω την πόρτα = to knock on the door χτυπάω το πόδι μου = I hurt my leg/foot χτυπάω (*without object*) = I hurt myself
το τραπεζάκι του σαλονιού = living-room coffee table	
οι ψευτιές = lies	*singular:* η ψευτιά *also:* το ψέμα
αλήθεια σου λέω = I'm telling you the truth	*also:* σου λέω αλήθεια, σου λέω την αλήθεια η αλήθεια = the truth
θα πεινάει = he must be hungry	*verb:* πεινάω = to be hungry
ούτε εγώ = me neither	
δε θυμάμαι = I don't remember	*verb:* θυμάμαι
η δικαιολογία = excuse	
ετοιμάζομαι να = I'm getting ready to	*verb:* ετοιμάζομαι = to get ready

ΣΗΜΕΙΩΣΕΙΣ – NOTES

ΑΣΚΗΣΕΙΣ – EXERCISES

1. Σωστό ή λάθος; – True or false?

		Σωστό	Λάθος
a.	Ο Κωστής θέλει ένα ποδήλατο για τα γενέθλιά του.	☐	☐
b.	Τα ποδήλατα του Κωστή και του Αλέξη είναι πολύ μικρά.	☐	☐
c.	Ο Αλέξης κι ο Κωστής θα ζητήσουν από τη μαμά τους να τους πάρει σκύλο.	☐	☐
d.	Όταν ο σκύλος θα κατουράει μέσα στο σπίτι, θα καθαρίζει ο Κωστής.	☐	☐
e.	Ο Αλέξης κι ο Κωστής θα πηγαίνουν τον σκύλο βόλτα.	☐	☐
f.	Τα παιδιά θα ζητάνε λεφτά από τη μαμά για να αγοράζουν φαγητό για τον σκύλο.	☐	☐
g.	Του χρόνου, η μαμά και ο μπαμπάς θα πάρουν στα παιδιά ποδήλατα για τα γενέθλιά τους.	☐	☐
h.	Τα παιδιά βαριούνται να πάνε τον σκύλο τους βόλτα.	☐	☐

2. Βάλε τις λέξεις στον πληθυντικό. – Put the words in the plural.

a. το δώρο _____

b. το ποδήλατο _____

c. ο σκύλος _____

d. η ευθύνη _____

e. το σπίτι _____

f. ο γιατρός _____

g. η βόλτα _____

h. η τρίχα _____

i. το πόδι _____

j. το τραπεζάκι _____

3. Βάλε τα ρήματα στο πρώτο πρόσωπο του ενικού, στον ενεστώτα. – Put the verbs in the 1st person singular, in the present tense.

a. πήραμε   _____

b. πλησιάζουν   _____

c. να ζητήσω   _____

d. έχει σκουριάσει   _____

e. θα πάρουν   _____

f. πηγαίνει   _____

g. θα κάνουμε   _____

h. θα ταΐζουμε   _____

i. γεμίζει   _____

j. ας προσπαθήσουμε   _____

k. πονάει   _____

l. χτύπησες   _____

m. έδωσες   _____

n. ξέχασα   _____

o. βγάλαμε   _____

p. καθάρισα   _____

q. έβαλα   _____

4. Συμπλήρωσε τα κενά. – Fill in the blanks.

> βαριέμαι - ξεχάσαμε - εσύ - ετοιμάζεται - ευθύνη - παλιό -
> θυμάται - ζητήσω - δικαιολογία - κάθε - χτύπησα

a. Λέω να _____ ένα ποδήλατο για τα γενέθλιά μου.

b. Το ποδήλατό μου είναι πολύ _____, έχει σκουριάσει.

c. Ένας σκύλος δεν είναι μόνο διασκέδαση, είναι και _____.

d. Πρέπει να πηγαίνουμε τον σκύλο βόλτα _____ μέρα.

e. _____ να πάω τον σκύλο βόλτα, πήγαινέ τον _____.

f. Το πόδι μου πονάει γιατί το _____.

g. Ο Αλέξης δε _____ πότε χτύπησε το πόδι του.

h. _____ να ταΐσουμε τον σκύλο, σίγουρα πεινάει!

i. Η αλήθεια είναι ότι ο Αλέξης δε χτύπησε το πόδι του, είναι _____.

j. Η μαμά τάισε τον σκύλο και τώρα _____ να τον πάει βόλτα.

118

5. Διάλεξε τη σωστή απάντηση. – Choose the right answer.

a. Το ποδήλατο του Αλέξη είναι:

    i.   πολύ μεγάλο και παλιό
    ii.   πολύ μικρό και σκουριασμένο
    iii. πολύ μικρό αλλά διασκεδαστικό
    iv. αρκετά μεγάλο αλλά σκουριασμένο

b. Ο Κωστής και ο Αλέξης θα ζητήσουν για δώρο:

    i.   ένα ποδήλατο
    ii.   δύο ποδήλατα
    iii. έναν σκύλο
    iv. ένα ποδήλατο κι έναν σκύλο

c. Ο Κωστής και ο Αλέξης:

    i.   πηγαίνουν τον σκύλο βόλτα κάθε μέρα
    ii.   ταΐζουν τον σκύλο κάθε μέρα
    iii. καθαρίζουν όταν ο σκύλος κατουράει μέσα στο σπίτι
    iv. βαριούνται να πάνε τον σκύλο βόλτα

d. Ο Αλέξης:

    i.   χτύπησε το χέρι του
    ii.   χτύπησε το πόδι του
    iii. δεν χτύπησε
    iv. έδωσε φαγητό στον σκύλο

ΛΥΣΕΙΣ ΤΩΝ ΑΣΚΗΣΕΩΝ – ANSWERS TO THE EXERCISES

1. a. Λάθος, b. Σωστό, c. Σωστό, d. Λάθος, e. Σωστό,
    f. Λάθος, g. Λάθος, h. Σωστό

2. a. τα δώρα, b. τα ποδήλατα, c. οι σκύλοι, d. οι ευθύνες,
    e. τα σπίτια, f. οι γιατροί, g. οι βόλτες, h. οι τρίχες,
    i. τα πόδια, j. τα τραπεζάκια

3. a. παίρνω, b. πλησιάζω, c. ζητάω / ζητώ,
    d. σκουριάζω, e. παίρνω, f. πηγαίνω, g. κάνω,
    h. ταΐζω, i. γεμίζω, j. προσπαθώ, k. πονάω / πονώ,
    l. χτυπάω / χτυπώ, m. δίνω, n. ξεχνάω / ξεχνώ,
    o. βγάζω, p. καθαρίζω, q. βάζω

4. a. ζητήσω, b. παλιό, c. ευθύνη, d. κάθε, e. Βαριέμαι, εσύ,
    f. χτύπησα, g. θυμάται, h. Ξεχάσαμε, i. δικαιολογία,
    j. ετοιμάζεται

5. a. ii. πολύ μικρό και σκουριασμένο
    b. iii. έναν σκύλο
    c. iv. βαριούνται να πάνε τον σκύλο βόλτα
    d. iii. δεν χτύπησε

120

Τέλος 9ου κεφαλαίου.

Άψογα!

Κεφάλαιο 10 – Chapter 10

Η τηλεόραση
The television

Μαμά:	**Είναι οχτώ η ώρα**! Αρχίζει η αγαπημένη μου **σειρά**.
Μπαμπάς:	Α, όχι! Σήμερα **έχει ποδόσφαιρο**.
Μαμά:	Μόνο μισή ώρα **κρατάει** η σειρά μου. **Δες** ποδόσφαιρο **αργότερα**.
Μπαμπάς:	Και να **χάσω** την **αρχή του ματς**;
Μαμά:	Ε, **τι να κάνουμε**; Δε θέλω να χάσω το **σημερινό επεισόδιο**, είναι **σημαντικό**. Σήμερα θα μάθουμε ποιος είναι ο **πραγματικός** πατέρας της Δήμητρας.
Μπαμπάς:	Ποια είναι η Δήμητρα;
Μαμά:	Η **πρωταγωνίστρια**! Μα σου έχω μιλήσει τόσες φορές γι' αυτό το **σήριαλ**. Δε θυμάσαι **ούτε καν** το όνομα της πρωταγωνίστριας; Μου φαίνεται ότι **δε με προσέχεις** όταν σου μιλάω!
Μπαμπάς:	Μόνο όταν μιλάς για τις σειρές σου δεν προσέχω.
Μαμά:	Ώστε **το παραδέχεσαι**!
Αλέξης:	Οχτώ η ώρα! Αρχίζει!
Μαμά:	Τι αρχίζει;
Κωστής:	Έχει Μπάτμαν σήμερα.

Μπαμπάς:	Μπάτμαν; Ξεχάστε το! Θέλω να δω το **ματς**.
Αλέξης:	Μα έχουμε μια βδομάδα που περιμένουμε να δούμε Μπάτμαν.
Μπαμπάς:	Κι εγώ έχω μια βδομάδα που περιμένω τον **αγώνα**. Ας τον δούμε μαζί. Αφού κι εσάς σας αρέσει το ποδόσφαιρο.
Κωστής:	Προτιμάμε Μπάτμαν.
Μαμά:	Δε θέλω να βλέπετε **ταινίες τρόμου**!
Αλέξης:	Ταινία τρόμου ο Μπάτμαν; Τι λες, μαμά; **Καμία σχέση. Περιπέτεια** είναι.
Κωστής:	Ναι, περιπέτεια. Θα μπορούσες να την πεις και **ταινία μυστηρίου**.
Μαμά:	**Ό,τι και να είναι**, δείτε την **άλλη φορά**.

123

Μπαμπάς:	Έχω μια ιδέα: να **γράψουμε** τον Μπάτμαν στο **βίντεο** και να τον δείτε αύριο.
Αλέξης:	Καλή ιδέα. Εντάξει, εγώ συμφωνώ.
Κωστής:	Κι εγώ συμφωνώ.
Μαμά:	Ωραία. Εσείς συμφωνήσατε. Εμένα με ρωτήσατε;
Αλέξης:	Έλα τώρα, μαμά. Είναι πολύ **βαρετή** η σειρά σου. Εδώ και δυο μήνες περιμένεις να μάθεις ποιος είναι ο μπαμπάς αυτής της Δήμητρας. Επίσης, για **κωμωδία**, δεν είναι καθόλου **αστεία**.
Μαμά:	Δεν είναι κωμωδία! Είναι **δράμα**. Σχεδόν ποτέ δε βλέπω **δραματικές** σειρές ούτε δραματικές ταινίες αλλά αυτή η σειρά αποτελεί **εξαίρεση**. Είναι πραγματικά ενδιαφέρουσα και με πολύ καλούς **ηθοποιούς**.
Κωστής:	Μήπως να τη γράψεις κι εσύ στο βίντεο και να τη δεις αύριο;
Μαμά:	**Δεν γίνεται. Πρώτον**, στο βίντεο θα γράψουμε τον Μπάτμαν. Δεν μπορούμε να γράψουμε δυο πράγματα **την ίδια στιγμή. Δεύτερον**, αύριο θα βάλει το επόμενο επεισόδιο. Θέλω να προλάβω να δω το σημερινό.
Αλέξης:	Μαμά, είμαστε τρεις και είσαι μία. **Νικάμε** εμείς.
Μαμά:	**Ώστε έτσι, ε;** Νικάτε; Το πρωί σάς ετοιμάζω για το σχολείο, μετά πηγαίνω στη δουλειά, γυρίζω **ψόφια** στην κούραση, μαγειρεύω, **συμμαζεύω** και καθαρίζω το σπίτι, αν χρειάζεται βάζω **πλυντήριο**, ... Μισή ωρίτσα θέλω να ξεκουραστώ

124

βλέποντας το αγαπημένο μου σήριαλ. **Πολλά ζητάω;**

Μπαμπάς: Παιδιά, νομίζω πως η μαμά έχει δίκιο.

Κωστής: Καλά, ας δούμε το ματς μόλις τελειώσει η σειρά.

Αλέξης: Και αύριο Μπάτμαν.

Μπαμπάς: Έγινε. Πάντως νομίζω ότι πρέπει **σύντομα** να πάρουμε δεύτερη τηλεόραση!

ΛΕΞΙΛΟΓΙΟ – VOCABULARY

είναι οχτώ η ώρα = it is eight o'clock	*also:* η ώρα είναι οχτώ
η σειρά = series	
έχει ποδόσφαιρο = there's a soccer game	
κρατάει = lasts	*verb:* κρατάω = to last (*also:* to hold)
δες = (*imperative*) watch	*verb:* βλέπω = to see, to watch
αργότερα = later	αργά = late *(adverb)*
να χάσω = to miss	*verb:* χάνω = to miss (*also:* to lose)
να χάσω την αρχή του ματς; = to miss the beginning of the game?	
τι να κάνουμε; = (*expression*) what can we do?, it's unavoidable	
σημερινό = (*neut.*) today's	σημερινός – σημερινή – σημερινό
το επεισόδιο = episode	
σημαντικό = *(neut.)* important	σημαντικός – σημαντική – σημαντικό
πραγματικός = (*masc.*) real	πραγματικός – πραγματική – πραγματικό
η πρωταγωνίστρια = leading actress	ο πρωταγωνιστής = leading actor
το σήριαλ = TV series	*also:* η σειρά, η τηλεοπτική σειρά *also spelled* σίριαλ
ούτε καν = not even	
δε με προσέχεις = you don't pay attention to me	*verb:* προσέχω = to be attentive, to be cautious, to pay attention
το παραδέχεσαι = you admit it	*verb:* παραδέχομαι = to admit
το ματς = soccer match, soccer game	
ο αγώνας = match, game	
ταινίες τρόμου = horror movies	*singular:* η ταινία τρόμου
καμία σχέση = (*expression*) nothing of the sort, anything but	

η περιπέτεια = adventure

η ταινία μυστηρίου = mystery movie   το μυστήριο = mystery

ό,τι και να είναι = whatever it may be

άλλη φορά = some other time

να γράψουμε = to record   *verb:* γράφω = to record, to write

το βίντεο = video

βαρετή = *(fem.)* boring   βαρετός – βαρετή – βαρετό

η κωμωδία = comedy

αστεία = *(fem.)* funny   αστείος – αστεία – αστείο

το δράμα = drama

δραματικός = *(masc.)* dramatic   δραματικός – δραματική –
                                    δραματικό
                                    η δραματική σειρά = drama series

η εξαίρεση = exception

ηθοποιούς = *(accusative)* actors   *nominative sing.:* ο ηθοποιός – η
                                      ηθοποιός
                                      nominative pl.: οι ηθοποιοί

δε γίνεται = it can't be done, not
  possible

πρώτον = firstly, first of all

την ίδια στιγμή = at the same time   η στιγμή = moment, instant

δεύτερον = secondly

νικάμε = we win   *verb:* νικάω/νικώ = to win

ώστε έτσι, ε; = is that so?

ψόφια = *(fem.)* dead, beat   ψόφιος – ψόφια – ψόφιο
                               (expression) ψόφιος στην
                               κυύραση = exhausted

συμμαζεύω = to tidy up

το πλυντήριο = washing machine   βάζω πλυντήριο = to do the
                                   laundry

πολλά ζητάω; = is it a lot to ask?   *also:* ζητάω πολλά;

σύντομα = *(adv.)* soon

127

ΣΗΜΕΙΩΣΕΙΣ – NOTES

ΑΣΚΗΣΕΙΣ – EXERCISES

1. Σωστό ή λάθος; – True or false?

		Σωστό	**Λάθος**
a.	Ο αγώνας ποδοσφαίρου αρχίζει στις οχτώ η ώρα.	☐	☐
b.	Η Δήμητρα είναι η πρωταγωνίστρια στο σήριαλ της μαμάς.	☐	☐
c.	Ο μπαμπάς θέλει να δει Μπάτμαν με τα παιδιά.	☐	☐
d.	Τα παιδιά προτιμάνε το ποδόσφαιρο από τον Μπάτμαν.	☐	☐
e.	Τα παιδιά περιμένουν να δουν Μπάτμαν εδώ και έναν μήνα.	☐	☐
f.	Η μαμά νομίζει ότι ο Μπάτμαν είναι ταινία τρόμου.	☐	☐
g.	Ο Αλέξης πιστεύει ότι η σειρά της μαμάς είναι βαρετή.	☐	☐
h.	Κάθε επεισόδιο του σήριαλ της μαμάς κρατάει μία ώρα.	☐	☐
i.	Ο μπαμπάς θα δει μόνο το μισό ματς.	☐	☐
j.	Ο μπαμπάς θα γράψει στο βίντεο το ματς και τον Μπάτμαν.	☐	☐

2. Βάλε τα ρήματα στο πρώτο πρόσωπο του ενικού, στον ενεστώτα. – Put the verbs in the 1st person singular, in the present tense.

a. αρχίζει   _____

b. κρατάει   _____

c. δες   _____

d. να χάσω   _____

e. θα μάθουμε   _____

f. έχω μιλήσει   _____

g. θυμάσαι   _____

h. προσέχεις   _____

i. ξεχάστε   _____

j. ας δούμε   _____

k. προτιμάμε   _____

l. να γράψουμε   _____

m. ρωτήσατε   _____

n. να προλάβω   _____

o. νικάμε   _____

p. να ξεκουραστώ   _____

q. να πάρουμε   _____

3. Διάλεξε τη σωστή απάντηση. – Choose the right answer.

a. Σήμερα στις οχτώ η ώρα έχει:

    i. ποδόσφαιρο
    ii. το σήριαλ της μαμάς
    iii. Μπάτμαν
    iv. όλα τα παραπάνω

b. Η σειρά της μαμάς είναι:

    i. κωμωδία
    ii. δράμα
    iii. αστεία
    iv. σειρά μυστηρίου

c. Ο μπαμπάς:

    i. θα δει Μπάτμαν με τα παιδιά
    ii. θα δει το σήριαλ μαζί με τη μαμά
    iii. θα γράψει τον Μπάτμαν στο βίντεο
    iv. ετοιμάζει τα παιδιά για το σχολείο το πρωί

d. Το ματς αρχίζει:

    i. πριν από τον Μπάτμαν
    ii. την ίδια ώρα με τον Μπάτμαν
    iii. πριν από το σήριαλ της μαμάς
    iv. μετά το σήριαλ της μαμάς

4. Βάλε τις λέξεις στον πληθυντικό. – Put the words in the plural.

a.   η σειρά   _____

b.   το ματς   _____

c.   το σημερινό επεισόδιο   _____

d.   η πρωταγωνίστρια   _____

e.   το σήριαλ   _____

f.   το όνομα   _____

g.   ο αγώνας   _____

h.   η ταινία τρόμου   _____

i.   η περιπέτεια   _____

j.   το μυστήριο   _____

k.   η κωμωδία   _____

l.   το δράμα   _____

m.   η εξαίρεση   _____

n.   ο ηθοποιός   _____

o.   η στιγμή   _____

p.   το πράγμα   _____

q.   η τηλεόραση   _____

5. Βάλε τις λέξεις στη σωστή σειρά για να φτιάξεις προτάσεις.
– Put the words in the right order to make sentences.

a. | η – μου – έξι – σήριαλ – αγαπημένο – ώρα – το – αρχίζει – στις

b. | θα – σημερινό – είναι – πατέρας – επεισόδιο – της – ποιος – στο – Δήμητρας – μάθουμε – ο

c. | θέλω – επεισόδιο – δε – είναι – επειδή – το – σημαντικό – χάσω – σημερινό – να

d. | τα – μπαμπάς – ο – Μπάτμαν – τους – θέλει – να – ποδόσφαιρο – αλλά – δουν – δει – να – θέλουν – παιδιά

e. | και – αύριο – ταινία – δω – γράψω – θα – την – θα – βίντεο – τη – στο

f. καλούς – ενδιαφέρουσα – η – σειρά – πολύ – αυτή – είναι – πολύ – και – ηθοποιούς – έχει

g. βλέποντας – αγαπημένο – η – θέλει – μαμά – σήριαλ – να – της – ξεκουραστεί – το

h. δεύτερη – νομίζω – να – πρέπει – τηλεόραση – πως – πάρουμε

ΛΥΣΕΙΣ ΤΩΝ ΑΣΚΗΣΕΩΝ – ANSWERS TO THE EXERCISES

1. a. Σωστό, b. Σωστό, c. Λάθος, d. Λάθος, e. Λάθος,
    f. Σωστό, g. Σωστό, h. Λάθος, i. Σωστό, j. Λάθος

2. a. αρχίζω, b. κρατάω / κρατώ, c. βλέπω, d. χάνω,
    e. μαθαίνω, f. μιλάω / μιλώ, g. θυμάμαι, h. προσέχω,
    i. ξεχνάω / ξεχνώ, j. βλέπω, k. προτιμάω / προτιμώ,
    l. γράφω, m. ρωτάω / ρωτώ, n. προλαβαίνω,
    o. νικάω / νικώ, p. ξεκουράζομαι, q. παίρνω

3. a. iv. όλα τα παραπάνω
    b. ii. δράμα
    c. iii. θα γράψει τον Μπάτμαν στο βίντεο
    d. ii. την ίδια ώρα με τον Μπάτμαν

4. a. οι σειρές, b. τα ματς, c. τα σημερινά επεισόδια,
    d. οι πρωταγωνίστριες, e. τα σήριαλ, f. τα ονόματα,
    g. οι αγώνες, h. οι ταινίες τρόμου, i. οι περιπέτειες,
    j. τα μυστήρια, k. οι κωμωδίες, l. τα δράματα,
    m. οι εξαιρέσεις, n. οι ηθοποιοί, o. οι στιγμές,
    p. τα πράγματα, q. οι τηλεοράσεις

5. a. Στις έξι η ώρα αρχίζει το αγαπημένο μου σήριαλ. /
       Το αγαπημένο μου σήριαλ αρχίζει στις έξι η ώρα.
    b. Στο σημερινό επεισόδιο θα μάθουμε ποιος είναι ο πατέρας
       της Δήμητρας.
    c. Δε θέλω να χάσω το σημερινό επεισόδιο επειδή είναι
       σημαντικό.

d. Τα παιδιά θέλουν να δουν Μπάτμαν αλλά ο μπαμπάς τους θέλει να δει ποδόσφαιρο.

e. Θα γράψω την ταινία στο βίντεο και θα τη δω αύριο.

f. Αυτή η σειρά είναι πολύ ενδιαφέρουσα και έχει πολύ καλούς ηθοποιούς.

g. Η μαμά θέλει να ξεκουραστεί βλέποντας το αγαπημένο της σήριαλ.

h. Νομίζω πως πρέπει να πάρουμε δεύτερη τηλεόραση.

Τέλος 10ου κεφαλαίου.

Συγχαρητήρια!

Κεφάλαιο 11 – Chapter 11

Πρωτοχρονιά
New Year's Day

Σήμερα είναι 31 Δεκεμβρίου, **παραμονή Πρωτοχρονιάς**. Ο Κωστής και ο Αλέξης θα γιορτάσουν την **αλλαγή** του χρόνου με την οικογένειά τους. **Κατά τις έξι** το απόγευμα, θα έρθουν ο παππούς και η γιαγιά. Θα φάνε όλοι μαζί και όταν έρθουν **τα μεσάνυχτα**, **θα ευχηθούν** ο ένας στον άλλον «καλή χρονιά» και θα κόψουν τη **βασιλόπιτα**.

Κωστής:	Λατρεύω το **γιορτινό** τραπέζι.
Αλέξης:	Κι εγώ! Περνάμε πάντα τέλεια με τη γιαγιά και τον παππού. **Άραγε θα μας φέρουν** δώρα;
Κωστής:	Σίγουρα. Πάντα φέρνουν δώρα. **Ανυπομονώ** να δω τι θα μας φέρουν **φέτος**.
Αλέξης:	Εγώ ανυπομονώ να κόψουμε τη βασιλόπιτα. **Ελπίζω το φλουρί** να **πέσει** σ' εμένα.
Κωστής:	Σ' εμένα θα πέσει! **Θα το δεις**.
Αλέξης:	Σ' εσένα **έπεσε πέρσι**! Και **πρόπερσι** στη μαμά.
Κωστής:	**Σιγά, και τι έγινε;**
Αλέξης:	Το θέλω για να έχω **καλή τύχη** όλη τη χρονιά.

Κωστής:	**Αφού** το θέλεις τόσο πολύ, **αν το τύχω** εγώ, **θα σου το δώσω.**
Αλέξης:	Όχι, αυτό **δε μετράει.**
Κωστής:	**Πράγματι,** δεν είναι το ίδιο.
Αλέξης:	Για να σου πω την αλήθεια, εμένα **δε με νοιάζει** το φλουρί. Περισσότερο με νοιάζουν τα δωράκια μας.

...

Ξαφνικά μπαίνει στο δωμάτιο η μαμά.

...

Μαμά:	**Άκουσα** καλά; Τα δωράκια σας; Ξέρετε καλά ότι ο **Αϊ-Βασίλης** θα τα φέρει πολύ αργά. Θα κοιμάστε εκείνη την ώρα. Θα τα ανοίξετε αύριο, **ανήμερα** Πρωτοχρονιάς.
Αλέξης:	Μαμά, ξέρουμε εδώ και πολύ καιρό ότι δεν υπάρχει Αϊ-Βασίλης.
Κωστής:	Ο χοντρός παππούλης με τα γένια που έρχεται κάθε χρόνο είναι ο μπαμπάς **μεταμφιεσμένος.**
Μαμά:	Τι; Πού το ξέρετε;
Αλέξης:	Πριν από λίγους μήνες, βρήκα την **αγιοβασιλιάτικη στολή** μέσα σε ένα κουτί κάτω από το κρεβάτι σας!
Μαμά:	**Απογοητευτήκατε** πολύ;
Κωστής:	Στην αρχή ναι, αλλά **το ξεπεράσαμε** γρήγορα.

Μαμά:	**Χαίρομαι.** Και τώρα **πείτε μου: τι δουλειά είχατε** κάτω από το κρεβάτι μου; Δε σας μαλώνω γιατί είναι **χρονιάρες** μέρες!
Κωστής:	Συγνώμη, μαμά.
Αλέξης:	Δε θα το ξανακάνουμε.
Μαμά:	Εντάξει, σας **συγχωρώ. Άντε, ετοιμαστείτε.** Σε λίγες ώρες **θα υποδεχτούμε** τον καινούριο χρόνο!

Κωστής:	Ερχόμαστε σε λίγο. Πρώτα θέλουμε να **κάνουμε πρόβα** το τραγούδι που θα πούμε με τον παππού και τη γιαγιά μόλις αλλάξει ο χρόνος.
Μαμά:	Ωραία. Ας το πούμε μαζί.

Πάει ο παλιός ο χρόνος,
ας γιορτάσουμε παιδιά
*και του **χωρισμού** ο **πόνος***
ας κοιμάται στην καρδιά.

Καλή χρονιά, καλή χρονιά,
*χαρούμενη, **χρυσή** Πρωτοχρονιά!*

***Γέρε** χρόνε, φύγε τώρα,*
*πάει η δική σου **η σειρά**,*
ήρθε ο νέος με τα δώρα,
με τραγούδια και χαρά.

Καλή χρονιά, καλή χρονιά,
χαρούμενη, χρυσή Πρωτοχρονιά!

***Μα** κι αν φεύγεις μακριά μας*
στην καρδιά μας πάντα ζει
κάθε λύπη και χαρά μας
που περάσαμε μαζί.

Καλή χρονιά, καλή χρονιά,
χαρούμενη, χρυσή Πρωτοχρονιά!

*Όλα γύρω **χιονισμένα**,*
*όλα γύρω **παγωνιά***
*μα θα λιώσουν **ένα ένα***
με τη νέα τη χρονιά.

Καλή χρονιά, καλή χρονιά,
χαρούμενη, χρυσή Πρωτοχρονιά!

ΛΕΞΙΛΟΓΙΟ – VOCABULARY

η παραμονή = eve

η αλλαγή = change

κατά τις έξι = around six (o'clock)	*also:* κατά τις έξι η ώρα = περίπου στις έξι (η ώρα) = γύρω στις έξι (η ώρα)

τα μεσάνυχτα = midnight

θα ευχηθούν = they will wish	*verb:* εύχομαι = to wish

η βασιλόπιτα = traditional cake to celebrate the day of Saint Vasilios (the Greek equivalent of Santa Claus). A coin is put in the dough and is considered to bring luck to the person who finds it in their piece.

γιορτινό = *(neut.)* festive	*verb:* γιορτινός – γιορτινή - γιορτινό

άραγε = *(adv.)* I wonder

ανυπομονώ = I can't wait	η ανυπομονησία = impatience, eagerness η υπομονή = patience

φέτος = this year

ελπίζω = I hope	η ελπίδα = hope
το φλουρί = old gold coin	*also:* any coin used in βασιλόπιτα
να πέσει σ' εμένα = to fall upon me	*verb:* πέφτω = to fall
θα το δεις = you will see (it)	*verb:* βλέπω = to see *future simple:* θα δω

έπεσε = (it) fell

πέρσι = last year	*also:* πέρυσι

πρόπερσι = the year before last, two years ago

σιγά = big deal	*literally:* σιγά = slowly, quietly

και τι έγινε; = so what?

καλή τύχη = good luck

αφού = since, given that ...

αν το τύχω = if I chance upon it

verb: τυχαίνω = *(without object)* to happen by chance
τυχαίνω *(with object)* = to chance on something
e.g. τυχαίνω το φλουρί

θα σου το δώσω = I will give it to you

verb: δίνω = to give
future simple: θα δώσω = I will give

δε μετράει = it does not count

verb: μετράω = to count

πράγματι = indeed

δε με νοιάζει = I don't care, it is of no concern to me

ξαφνικά = *(adv.)* suddenly

άκουσα = I heard

verb: ακούω = to hear, to listen

Αϊ-Βασίλης = Saint Vasilios (Basil), the Greek equivalent of Santa Claus

ανήμερα = on the same day

ανήμερα Χριστουγέννων = ανήμερα (τα) Χριστούγεννα = on Christmas day
ανήμερα Πρωτοχρονιάς = ανήμερα (την) Πρωτοχρονιά = on New Year's day

μεταμφιεσμένος = *(masc.)* disguised

μεταμφιεσμένος – μεταμφιεσμένη – μεταμφιεσμένο

αγιοβασιλιάτικη = *(fem.)* pertaining to Saint Vasilios

αγιοβασιλιάτικος – αγιοβασιλιάτικη - αγιοβασιλιάτικο

η στολή = costume, uniform

απογοητευτήκατε = you *(pl.)* were disappointed
το ξεπεράσαμε = we got over it

verb: απογοητεύομαι = to be disappointed
verb: ξεπερνάω/ξεπερνώ = to get over (something), to overcome

χαίρομαι = I am glad

πείτε μου = tell me

verb: λέω
imperative: (sing.) πες,
(pl.) πείτε / πέστε

τι δουλειά είχατε = what business did you have

143

χρονιάρες = (fem. pl.) festive, pertaining to an annual celebration	χρονιάρης – χρονιάρα – χρονιάρικο
συγχωρώ = to forgive	
άντε = come on	
ετοιμαστείτε = get ready	verb: ετοιμάζομαι = to get ready
θα υποδεχτούμε = we will welcome, we will receive	verb: υποδέχομαι = to welcome, to receive, to greet
κάνουμε πρόβα = we rehearse	κάνω πρόβα = to rehearse η πρόβα = rehearsal
ο χωρισμός = separation	
ο πόνος = pain	
χρυσή = (fem.) golden	χρυσός – χρυσή – χρυσό
γέρε = (vocative) old man	ο γέρος = old man η γριά = old woman
η σειρά = turn	also: η σειρά = row, series
μα = but	also: αλλά, όμως
χιονισμένα = (neut. pl.) snowy	χιονισμένος – χιονισμένη – χιονισμένο
η παγωνιά = freezing cold	
θα λιώσουν = they will melt	verb: λιώνω
ένα ένα = one by one	

ΣΗΜΕΙΩΣΕΙΣ – NOTES

ΑΣΚΗΣΕΙΣ – EXERCISES

1. Σωστό ή λάθος; – True or false?

		Σωστό	Λάθος
a.	Η Πρωτοχρονιά είναι η τελευταία μέρα του χρόνου.	☐	☐
b.	Την Πρωτοχρονιά τρώμε βασιλόπιτα.	☐	☐
c.	Το φλουρί της βασιλόπιτας φέρνει πολύ κακή τύχη.	☐	☐
d.	Ο Αλέξης θέλει να τύχει το φλουρί της βασιλόπιτας.	☐	☐
e.	Ο Κωστής και ο Αλέξης θα περάσουν την Πρωτοχρονιά με τους φίλους τους.	☐	☐
f.	Κάθε χρόνο, ο παππούς του Κωστή και του Αλέξη ντύνεται Αϊ-Βασίλης.	☐	☐
g.	Ο Κωστής και ο Αλέξης δεν πιστεύουν στον Αϊ-Βασίλη.	☐	☐
h.	Όταν αλλάζει ο χρόνος, ευχόμαστε «καλή χρονιά».	☐	☐

2. Βάλε τις λέξεις στον πληθυντικό. – Put the words in the plural.

a. η αλλαγή   _____

b. η βασιλόπιτα   _____

c. το τραπέζι   _____

d. το φλουρί   _____

e. η χρονιά   _____

f. η στολή   _____

g. η ευχή   _____

h. η πρόβα   _____

i. ο παππούς   _____

j. η χαρά   _____

3. Διάλεξε τη σωστή απάντηση. – Choose the right answer.

a. Ο παππούς και η γιαγιά των παιδιών θα έρθουν:

    i. το μεσημέρι
    ii. το απόγευμα
    iii. τα μεσάνυχτα
    iv. την Πρωτοχρονιά

b. Ο Κωστής ανυπομονεί:

    i. να τύχει το φλουρί
    ii. να ανοίξει το δώρο του
    iii. να φάει βασιλόπιτα
    iv. να δει τον Αϊ-Βασίλη

c. Την Πρωτοχρονιά ευχόμαστε:

    i. καλή τύχη
    ii. καληνύχτα
    iii. καλή χρονιά
    iv. καλή όρεξη

d. Όποιος τυχαίνει το φλουρί, έχει όλο το χρόνο:

    i. πολλά λεφτά
    ii. πολλή αγάπη
    iii. πολλά δώρα
    iv. καλή τύχη

4. Βάλε τα ρήματα στο 1ο πρόσωπο του ενικού, στον ενεστώτα. – Put the verbs in the 1st person singular, in the present tense.

a. θα γιορτάσουν _____

b. θα έρθουν _____

c. θα ευχηθούν _____

d. θα κόψουν _____

e. περνάμε _____

f. θα φέρουν _____

g. να πέσει _____

h. θέλεις _____

i. θα δώσω _____

j. μπαίνει _____

k. άκουσα _____

l. ξέρετε _____

m. ξεπεράσαμε _____

n. θα υποδεχτούμε _____

o. φύγε _____

p. ήρθε _____

q. ζει _____

ΛΥΣΕΙΣ ΤΩΝ ΑΣΚΗΣΕΩΝ – ANSWERS TO THE EXERCISES

1. a. Λάθος, b. Σωστό, c. Λάθος, d. Σωστό, e. Λάθος,
   f. Λάθος, g. Σωστό, h. Σωστό

2. a. οι αλλαγές, b. οι βασιλόπιτες, c. τα τραπέζια,
   d. τα φλουριά, e. οι χρονιές, f. οι στολές, g. οι ευχές,
   h. οι πρόβες, i. οι παππούδες, j. οι χαρές

3. a. ii. το απόγευμα
   b. ii. να ανοίξει το δώρο του
   c. iii. καλή χρονιά
   d. iv. καλή τύχη

4. a. γιορτάζω, b. έρχομαι, c. εύχομαι, d. κόβω,
   e. περνάω / περνώ, f. φέρνω, g. πέφτω,
   h. θέλω, i. δίνω, j. μπαίνω, k. ακούω, l. ξέρω,
   m. ξεπερνάω / ξεπερνώ, n. υποδέχομαι, o. φεύγω,
   p. έρχομαι, q. ζω

Τέλος 11ου κεφαλαίου.

Τα κατάφερες!

Made in the USA
Middletown, DE
14 June 2024

55746329R00089